JOGRAIS E REPRESENTAÇÕES
Evangélicas

MARIA JOSÉ RESENDE

JOGRAIS E REPRESENTAÇÕES *Evangélicas*

VOLUME

1

27ª impressão

CPAD

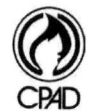

Rio de Janeiro

2023

Todos os direitos reservados. Copyright © 1984 para a língua portuguesa da Casa Publicadora das Assembleias de Deus. Aprovado pelo Conselho de Doutrina.

É proibida a duplicação ou reprodução deste volume, no todo ou em parte, sob quaisquer formas ou meios (eletrônico, mecânico, gravação, fotocópia, distribuição na web e outros), sem permissão expressa da Editora.

Preparação dos originais: Kleber Cruz
Revisão: Alexandre Coelho
Capa e projeto gráfico: Flamir Ambrósio
Editoração: Oséas Felício Maciel

CDD: 790 - Artes cênicas e recreativas
ISBN: 978-85-263-1937-0

As citações bíblicas foram extraídas da versão Almeida Revista e Corrigida, edição de 1995 da Sociedade Bíblica do Brasil, salvo indicação em contrário.

Para maiores informações sobre livros, revistas, periódicos e os últimos lançamentos da CPAD, visite nosso site: https://www.cpad.com.br.

SAC — Serviço de Atendimento ao Cliente: 0800-021-7373

Casa Publicadora das Assembleias de Deus
Av. Brasil, 34.401, Bangu, Rio de Janeiro - RJ
CEP: 21.852-002

27ª impressão: 2023
Impresso no Brasil
Tiragem: 300

DEDICATÓRIA

Frágil como um passarinho que mal sabe voar, aí está um sonho transformado nas páginas deste livro. E eu não poderia esquecer as pessoas tão queridas, que me incentivaram carinhosamente com suas orações até que este pequeno pássaro chegasse, tropeçando, devagarinho e tímido, a pousar em suas mãos, leitor.

Ao pastor Isaías Mendonça, da Igreja Assembléia de Deus em Vila Rosali.

À Etelvina G. Rezende, a corajosa; à medida de José Rezende Júnior, a quem tanto amei.

A autora

MINHA PEQUENA OFERTA

Pareço ouvir ainda agora a voz inesquecível de meu pai cantarolando seus hinos prediletos enquanto fazia a barba, preparando-se para ir à igreja. Somos de uma família numerosa, de onze irmãos, e aqueles preciosos momentos em que o ouvíamos cantar enchiam os nossos corações de muita alegria, embora soubéssemos que o teríamos conosco por pouco tempo: ele sofria de uma grave enfermidade do coração, que logo o levou para perto de Deus.

Papai foi sempre um grande apreciador da música e de qualquer outra manifestação de arte no trabalho de Deus. Nos programas que organizava para a igreja não faltavam lindos hinos, bons solistas, duetos, coro e declamação de poesias. Tínhamos então em nossa igreja várias declamadoras, e eu me lembro de tê-lo visto amiúde com os olhos rasos de lágrimas ouvindo os poemas. Papai gostava especialmente de "O Garotinho Perdido", poesia de Mirtes Mathias. Em casa, quando ele tentava repetir uma das estrofes, notávamos que a sua voz embargava emocionada e penso que era num misto de pena do menino, de alegria pela misericórdia de Deus e de exaltação pela arte poética.

Ele também gostava muito das bandas de música, e percebia que, ao ouvi-las na igreja, ele de repente se transformava numa criança feliz, emocionado, cheio da mais pura alegria: recordando, quem sabe, sua infância de menino pobre em Bom Jesus do Itabapoana — sua cidadezinha. Era então um garoto de sapatos cambaios e camisa puída, assistindo entusiasmado às apresentações da pequena banda de música no coreto da pracinha.

Quando comecei a escrever peças para representar na igreja, ele era, sem dúvida, o meu maior incentivador. Por duas vezes fez participações especiais em representações, para grande felicidade sua e minha também, que o via animado a decorar o texto, às voltas com um velho gravador que tínhamos em casa "para ver se a voz estava numa boa entonação". Mais tarde, quando organizei um grupo que percorria as igrejas apresentando peças de evangelismo, ele tratava de fazer propaganda do nosso trabalho. Embora já não pudesse nos acompanhar devido em parte às suas atividades na igreja, e também por causa da enfermidade que progredia, ele ainda assim arranjava convites de várias igrejas para as nossas apresentações. Certa vez, num sábado, fomos convidados por uma igreja muito humilde em São João de Meriti, local onde morei por muitos anos. Chovia muito naquele dia e a pequena rua da igreja estava tão enlameada e escura que só com grande dificuldade conseguimos chegar. Os pés estavam pesados de barro e as bolsas onde levávamos as roupas e utensílios da peça literalmente encharcadas, assim como os "atores", uma vez que não trazíamos guarda-chuvas.

Quando entramos no templo, o piso de cimento estava caprichosamente encerado, os bancos cheiravam e reluziam a óleo de peroba, e as jarras traziam bonitas flores frescas, arrumadas carinhosamente pela zeladora. Não encontramos mais do que quatro pessoas à nossa espera aquela noite; o pastor, uma sorridente velhinha que nos olhou alegremente com olhinhos brilhantes, um rapazinho de seus treze anos, magro e tímido, encolhido a um canto, cheio de frio, e meu pai com o seu surrado terno azul. Notei que ele estava muito nervoso por nossa causa. Li nos seus olhos a apreensão por nosso trabalho. Conversando com o pastor, de vez em quando meu pai lançava olhares furtivos para a porta, na esperança de que o tempo melhorasse e chegassem mais pessoas.

Mas o tempo não melhorou, chovendo cada vez mais. Na rua escura e enlameada, os únicos sons que se ouviam eram os da enxurrada e de um cachorro que latia ao longe, num quintal.

Ainda assim o nosso grupo resolveu que faria a apresentação e procuramos ignorar o mau tempo cuidando de apressarnos para encenar a peça, e o fizemos com alegria. O responsável pela iluminação procurou descobrir logo onde ficavam os interruptores para acender e apagar as luzes nos momentos apropriados. O que cuidava da parte musical tratou de testar o som com a nossa velha eletrola portátil e, após o devocional, começamos a encenar. Vi então que a nossa assistência aumentara um pouco mais. Dentre os que acabavam de chegar, duas ou três senhoras corajosas, algumas crianças e dois homens, um dos quais já de bastante idade, os cabelos totalmente embranquecidos e o corpo encurvado no cansaço da vida. Esse ancião tinha os olhos animados na expectativa de ver um programa especial na igreja. Num dos bancos da frente estava "seu" Rezende, agora menos apreensivo e mais alegre com a nossa participação. Creio que nunca representamos tão bem e sentimos tão perto a presença de Deus como na humildade daquela igreja!

Ao sairmos, no final, ainda chovia um pouco, mesmo assim nos reunimos todos debaixo de uma cobertura de zinco no quintal da igreja, para tomar café com bolinhos fritos, muito gostosos, feitos pela velhinha dos olhos brilhantes. Os irmãos nos cumprimentavam calorosamente e insistiam em que voltássemos logo que possível, enquanto o pastor garantia que da próxima vez teríamos um público maior. Talvez não tenhamos conseguido então expressar-lhe em palavras o quanto fomos felizes naquela noite. Por trás do copo de café fumegante, o sorriso de papai demonstrava sua gratidão ao nosso grupo e àqueles irmãozinhos queridos que enfrentaram a chuva na noite escura para virem alegrar-se conosco na claridade e no calor da igreja.

Hoje, meu querido José Rezende está no céu. Aleluia! A certeza disto me faz confiante em Deus e no futuro. Nossa família continua unida, seguindo os bons exemplos que ele deixou: a fé, a coragem, o amor... e tantos outros! E eu estou aqui, às voltas com a irmã Arte, porque sei o quanto nas suas diversas modalidades ela auxilia na obra do Senhor e o quanto alegra milhares de pessoas, como alegrava a meu pai.

Não sei música, talento especial de tantos irmãos, e também não conheço a arte da poesia. O pouco que sei aí vai, neste livro. O meu pedido a Deus é que meu pequeno trabalho possa ser de alguma utilidade na divulgação das boas novas do Senhor Jesus.

É a minha oferenda no altar!

A autora

SUMÁRIO

Dedicatória 5
Minha Pequena Oferta 7

INSTRUÇÕES
Explicação sobre Jograis 13
Laboratório 15
Calendário de Celebrações 21
Como Representar uma Peça 23

JOGRAIS
Tal como Isaías 31
A Notícia mais Importante 35
Nas Mãos de minha Mãe 37
Canção Azul, Verde e Amarela 39
Para Encontrar a Manjedoura 41
Tempo de Vencer 45
Canto de Alegria 49

PEÇAS
O Filho Pródigo 53
O Desafio Brasileiro 61
Dorcas e o Amor 66
Um Presente de Deus 71
"A Coragem de Etel" 75
Ele Vive 84
Uma Luz na Estrada 93
O Dia Sexto 101
O Homem que Deixou as Redes 109
A Testemunha 118

Era uma vez o Natal 124
Eles Seguiram a Estrela 128
O Dia da Esperança 133
A Viúva Pobre 142

Glossário 149

Explicação sobre Jograis

Considerando que o nosso maior propósito é o de incentivar os grupos de criação nas igrejas, os jograis não precisam ser feitos exatamente como sugerimos na marcação, como por exemplo os que têm vozes masculinas e femininas intercaladas. Dependendo da disponibilidade dos membros da igreja, os jograis podem ser apresentados por adolescentes, crianças, adultos, ou rapazes e moças, bastando que, para isso, ao copiar, sejam modificados os termos necessários na marcação.

A criatividade deve, pois, ser uma das prioridades do grupo de ensaio.

Que tudo seja feito para a honra e glória do nosso Senhor Jesus Cristo!

Laboratório

São chamados *laboratório* ou *oficina de dramatização* os exercícios feitos durante os ensaios e, eventualmente, antes das apresentações dos grupos. Tais exercícios visam dar maior agilidade às expressões de rosto e corporal, de grande importância em cena. Imagine, por exemplo, um irmão que precise representar o rei Herodes. Será necessário que ele procure saber expressar toda a imponente postura da personagem: o modo peculiar de andar e a máscara de maldade que devia ter em seu rosto.

A inibição de alguns irmãos, que se julgam incapazes de dizer uma única frase diante do público, pode ser também eliminada após alguns exercícios de laboratório, que em sua maioria são fundamentados na psicologia aplicada. Tenho tido ocasião de poder observar jovens e mesmo pessoas de mais idade, que procuraram juntar-se a grupos de representação, muito acanhados inicialmente, e que após algumas reuniões de oficina de teatro tornaram-se mais extrovertidos.

Sugerimos em seguida alguns exercícios já experimentados por nossos grupos anteriormente e que mostraram grande eficácia no estímulo da criatividade.

1. Exercícios de Mímica

Os componentes do grupo deverão estar sentados em círculo. O líder explicará inicialmente o exercício, que, em seguida, deverá ser feito em silêncio total para que os movimentos possam ser mais bem seguidos. O primeiro participante criará com as mãos um objeto, ou animalzinho, que passará para o componente mais próximo. Este deverá receber o "presente" observan-

do bem do que se trata e transformando-o em seguida em uma outra coisa qualquer, passando adiante. As criações serão recebidas em todo o seu aspecto, ou seja: peso, consistência, cheiro, etc. O que receber uma pena deverá recebê-la em sua leveza e suavidade e o que receber uma geladeira fará, obviamente, um imenso esforço para segurá-la. Tendo terminado o grupo as suas experiências, cada um procurará dizer o que recebeu do colega, o que evidenciará se a criação foi bem feita ou não. O exercício deverá ser repetido até que o grupo possa dominá-lo.
Objetivo: Entre outros, tornar ágeis as mãos. Numa representação que exija acessórios, com uma moringa ou um copo, a personagem poderá mostrá-los de modo invisível, tornando a cena muito imaginativa e de um belo efeito.

2. Exercícios de Rosto
Sentados ainda em círculo, no chão ou em cadeiras, o líder fará os seguintes movimentos que serão seguidos pelos demais.
 a. Puxar os lábios fortemente para baixo, como se desejasse tocar o queixo, e passar rapidamente a puxá-los para cima como tocando a testa. Em seguida para os lados como a tocar as orelhas.
 b. Inflar fortemente as bochechas e em seguida soltar o ar, como um pequeno balão de borracha. Repetir três vezes.
 c. Puxar energicamente com os músculos do rosto os olhos para cima e para baixo e depois para os lados.
 d. Abrir ao máximo a boca e fechá-la rapidamente. Repetir várias vezes.
Objetivo: Exercitar os músculos faciais, que são de grande importância na composição de futuras personagens.

3. Expressões Dramáticas
O líder pedirá a cada um dos participantes que procure expressar com o rosto e o corpo (quando necessário) sentimentos como alegria, tristeza, medo, pavor, ira, orgulho, desânimo, etc.
Objetivo: Facilitar o desembaraço do componente do grupo para os papéis dramáticos que poderá vir a representar.

4. Espelho
Cada pessoa ficará diante de um parceiro, que será o seu "espelho" e realizará os mais diferentes gestos, como: pentear-se, escovar os dentes, pular, abaixar-se ou esticar as orelhas. O "espelho" irá repetindo ao mesmo tempo toda a gesticulação. Depois as posições serão invertidas e quem criou anteriormente passará a repetir, desta vez como o "espelho".
Objetivo: Fazer com que todos estejam aptos a acompanhar os companheiros em cena, visando aguçar o sentido de observação, importante na arte cênica. Trata-se também de um exercício de expressão corporal.

5. Exercícios de Dicção
Repetir lenta e rapidamente frases como: "O rato roeu a roupa do rei rico", e "Pedro aprendeu depressa o que precisava aprender". Depois o líder dará a cada pessoa um pequeno texto, que deverá ser lido em voz alta procurando destacar bem todas as sílabas e pontuações, assim como as devidas entonações.
Objetivo: Melhora da dicção.

6. Expressão Corporal
Os participantes estarão espalhados em diversos pontos da sala enquanto, ao comando do líder, deverão comportar-se como se andassem sobre — fogo, neve, uma corda esticada no alto, e um lugar escuro infestado de serpentes. Poderão criar-se ainda situações como se o grupo estivesse num lugar sob forte temporal, numa violenta guerra ou numa floresta sombria cheia de animais ferozes.
Objetivo: Exercitar a expressão corporal e capacitar o grupo a criar os ambientes para futuras encenações.

7. Falas Automáticas
Muitos escritores famosos utilizaram a escrita automática, isto é, escreviam o que lhes viesse à mente sem estabelecer freios para as palavras. Clarisse Lispector e Guimarães Rosa,

entre outros, ficaram famosos por escreverem assim.

No exercício de falas automáticas, todos os componentes deverão colocar-se em marcha, num círculo, enquanto falam ao mesmo tempo tudo o que estiverem pensando, por mais desconexo que pareça ser.
Objetivo: Eliminar as tensões e descobrir novos caminhos para a criatividade.

8. Bicho-da-Seda
De pé, e em silêncio, os participantes terão a sensação de serem bichos-da-seda, e com movimentos muito suaves deverão retirar de em torno do corpo fios invisíveis, finíssimos.
Objetivo: Liberar os movimentos corporais; relaxar os nervos.

9. Balão de Gás
Ainda em silêncio, erguer ao máximo os braços, levantando o corpo na ponta dos pés, como se desejassem tocar o teto. Distender neste movimento todos os músculos do corpo, inspirando profundamente. Em seguida abaixar-se molemente, expirando, até tocar com as mãos o chão, como um balão que se esvaziasse.
Objetivo: Idêntico ao do item 8.

10. Corrida em Câmara Lenta
Realizar uma "corrida" em que ganhará quem chegar por último. Os passos deverão ser longos, porém lentíssimos.
Objetivo: Conhecimento dos limites do espaço e do próprio corpo.

11. Estátuas
Os componentes farão diversos tipos de expressão corporal e, ao comando do líder, deverão ficar imóveis como estátuas. O sinal poderá ser uma batida na mesa.
Objetivo: Conhecimento da técnica do estático, muito utilizada nas dramatizações. (Veja outras instruções na página 34.)

12. Sotaques
Cada pessoa dirá a mesma frase (sugerida pelo líder) em diversos sotaques: nordestino, gaúcho, mineiro, carioca, português, italiano, espanhol, etc. O presente exercício é na verdade muito difícil, mas deverá ser realizado sempre que possível.
Objetivo: Preparar para futuros desempenhos em que seja necessário um sotaque específico.

13. O Mundo em que não se Pode Comunicar
O grupo imaginará que está num novo mundo, em outra época (como a pré-história, por exemplo) e não sabe como se comunicar entre si. Durante o decorrer da cena, os participantes deverão descobrir um modo de estabelecer a comunicação.
Objetivo: Liberar novas formas de criatividade.

14. Relaxar as Tensões
Esta técnica deverá ser usada, sempre que possível, durante os ensaios e nos momentos que antecederem a apresentação.
Todos deverão estar sentados confortavelmente, em absoluto silêncio, numa sala pouco iluminada, com os olhos fechados. O líder falará suavemente enquanto dá andamento ao exercício:
    a. Fazer com que todos sintam os dedos e a planta dos pés, relaxando-os ao máximo. Respirar profunda e suavemente.
    b. Afrouxar os músculos das pernas e dos joelhos.
    c. Fazer o mesmo com o abdome, imaginando ainda que uma grande suavidade envolve os órgãos digestivos.
    d. Agora com o tórax, a nuca e os ombros. Demorar-se um pouco mais aí por tratar-se de áreas muito tensas. Não esquecer de continuar respirando profunda e suavemente.
    e. O amolecimento deverá descer sobre os braços, as palmas das mãos e os dedos.
    f. Tentar relaxar o couro cabeludo, o rosto e as orelhas. Eliminar suavizar ao máximo a expressão facial.
    g. Agora o líder fará que imaginem um lugar suave e boni-

to, como um amanhecer no campo.

h. Pedir a todos que bocejem espreguiçando-se lentamente, como os gatos.

Objetivo: Eliminar totalmente as tensões nervosas e tornar o grupo apto a criar e representar.

15. Improvisações Cênicas

O irmão que estiver liderando o grupo pedirá que improvisem pequenas dramatizações com diversos temas como: alegria, família, vida cristã, etc. Sempre que possível, dividir o grupo; e cada parte improvisará um tema diferente. Durante a apresentação do primeiro, o segundo estará observando, e vice-versa. Ao final, todos irão sentar-se em círculo e fazer a avaliação geral, destacando os bons e os maus momentos; apontando, de forma amigável, mas sincera, todas as falhas cometidas, uma vez que nessas cenas improvisadas todos costumam falar a um só tempo; alguns falam baixo demais, ou muito alto, e outros ainda se mostram muito inibidos.

Objetivo: Exercitar a criatividade do grupo.

CALENDÁRIO DE CELEBRAÇÕES

Aniversário de Fundação do Círculo de Oração
Março, 6

Dia Mundial de Oração das Senhoras Cristãs
Março, 7

Paixão, Morte e Ressurreição de Cristo
Março/abril (data móvel)

Dia das Mães
Maio, 2º domingo

Dia do Pastor
Junho, 2º domingo

Aniversário de Fundação da Assembléia de Deus
Junho, 18

Dias dos Pais
Agosto, 2º domingo

Dia Nacional de Missões
Setembro, 2º domingo

Dia Nacional da Escola Dominical
Setembro, 3º domingo

Dia da Reforma Protestante
Outubro, 31

Dia Mundial da Escola Dominical
Novembro, 1º domingo

Dia Internacional de Ação de Graças
Novembro, 4ª quinta-feira

Dia da Bíblia
Dezembro, 2º domingo

Natal
Dezembro, 25

Ano Novo
Dezembro, 31

Como Representar uma Peça

1. Escolha o texto apropriado e procure conhecê-lo bem em todos os aspectos.
2. Busque obter a autorização da igreja e do pastor, não esquecendo de dizer-lhes do que trata a peça e em que ocasião será apresentada.
3. Se sentir o desejo de exercer a direção, procure em sua igreja as pessoas disponíveis e que tenham jeito para representar. Quando for entregar-lhes o texto, procure avisar logo a data e o horário da primeira reunião.
4. Fazer freqüentes anúncios, seja por meio de cartazes ou em horários apropriados durante o culto, quanto aos ensaios do grupo escolhido.
5. As personagens das diversas peças constantes neste livro também poderão ser feitas por crianças, desde que o texto demonstre ser de fácil compreensão.
6. Na primeira reunião, procure fazer alguns exercícios de laboratório (pág. 35), o que possibilitará a melhor observação do futuro desempenho de cada participante em relação à personagem que deverá representar.
7. Não passar logo de início aos ensaios de gesticulação e movimento. Proceda primeiramente à "leitura de gabinete", ou seja: todos deverão estar comodamente sentados enquanto lêem a peça até que passem a ficar suficientemente inteirados do que se trata. Os ensaios de movimento só deverão ser marcados quando os papéis estiverem quase totalmente decorados.
8. Uma vez que os participantes do grupo demonstrem conhecer bastante o texto, as marcações e a direção da cena, marque o primeiro ensaio, que não precisa ser necessariamen-

te em um palco, mas no espaço que o grupo tiver disponível. Esse espaço deve ser protegido do barulho exterior e da curiosidade de pessoas que não estejam ligadas ao projeto. Insistir junto ao grupo quanto à pontualidade e assiduidade e, para isso, procurar marcar os ensaios para dia e local apropriados a todos.

9. O grupo deverá estar sempre empenhado em que haja união entre todos. O melhor e infalível modo de consegui-lo é *orar sempre* antes dos ensaios.

10. Caso algum componente desista do trabalho iniciado e não houver meios de contornar a situação, escolher outra pessoa que possa decorar o papel no tempo estabelecido. Apresentá-la com boas-vindas ao grupo e dizer-lhe da sua incumbência; é imprescindível.

11. Os exercícios de laboratório, ou oficina, deverão ser feitos sempre logo após a oração e antes do ensaio. Exercitando-se desse modo os participantes, passam eles a viver melhor os seus papéis, pois conseguem ficar liberados das preocupações que tinham antes do ensaio.

12. No caso de a peça exigir efeitos musicais e de iluminação, escolher com bastante antecedência as pessoas que possam fazer um trabalho de bom gosto e, acima de tudo, com boa vontade junto ao grupo. Os encarregados dessas atividades deverão também participar do laboratório e dos ensaios, sempre que possível.

13. Se o grupo não for utilizar o cenário de imaginação (consulte pág. 32), procurar seguir as instruções da peça quanto ao cenário, cuidando fazê-lo o menos dispendioso possível. Evitar ainda o arrastar de mesas e cadeiras, o que é muito desagradável no transcorrer do culto. Se o grupo puder encenar em um palco (de colégio, por exemplo) aí, sim, poderá criar o cenário a seu gosto. Procure, contudo, não usar aqueles cenários pintados, antigos, que ainda correm o risco de caírem durante a peça, transformando, quem sabe, uma dramatização numa inoportuna comédia.

14. Quanto às cortinas, procurar não utilizá-las dentro do templo para uma peça. Um dos principais motivos é que não encontramos nunca quem esteja disponível para apenas cuidar das cortinas, e normalmente os arranjos saem de tal maneira inadequados que é freqüente o risco de as cortinas não funcionarem nos momentos certos, o que causará aos participantes da representação um nervosismo que poderá até fazê-los esquecer o texto.

15. O vestuário da peça deverá ser estudado previamente em todos os detalhes. O diretor de cena e os participantes do grupo pesquisarão, quanto à época, características da personagem, sua situação social, hábitos, etc. Saber se ela é do Antigo Testamento, ou se é um cristão do Novo Testamento; se a peça se passa no Brasil de 1910, ou se no Nordeste, ou na Inglaterra, etc. Pesquisar até mesmo em livros históricos especializados, em bibliotecas, etc., e saber como se vestiam as pessoas em diversas épocas e regiões. Se alguém for representar, digamos, o apóstolo Pedro, deverá vestir uma túnica cumprida, surrada, com mantos rústicos sobre os ombros. As roupas não deverão ser de tecidos novos e brilhantes, porque Pedro era apenas um pobre pescador. A indumentária poderá ser improvisada com sacos de estopa (forrados de tecido mais leve), de aniagem, tingidos, e mesmo velhos lençóis e cobertas, que num todo formam um bom efeito ao compor uma personagem pobre da época do início do Cristianismo. Veja bem, Pedro não usaria sapatos como os de hoje, mas sim velhas sandálias ou mesmo estaria descalço. Também não usaria aliança e relógio de pulso; portanto, procurar retirá-los antes de entrar em cena. Ao representar uma pobre mulher do sertão nordestino, procure vestir-se de modo muito pobre e observando até mesmo que os cabelos não podem estar arrumadinhos, mas sim descuidados, ou com um velho lenço de chita amarrado ao redor deles.

16. Ainda durante os ensaios esteja sempre ciente das falas das demais personagens, decorando todas as deixas (pág. 33).

17. Habitue-se durante os ensaios a acompanhar os demais componentes em cena, com as suas expressões de rosto ade-

quadas ao que eles dizem. É errado que os outros estejam representando enquanto um componente se mostre alheio ao que se passa, "olhando para o vento". Com esta atitude, pode-se perder a deixa, errar a fala e até acabar com a peça.

18. É de grande importância o ensaio geral que deverá ser realizado na véspera, ou no dia da apresentação pela manhã. Todos deverão estar presentes no horário determinado. O ensaio será feito como se o grupo já estivesse se apresentando, ou seja, com os cenários prontos (se houver), e bem assim toda a indumentária da peça. Os vestuários deverão ser usados para que haja possibilidade de correção em prováveis erros — com pisar numa túnica muito comprida, um manto que escorrega a toda hora do ombro, cores que não combinam num todo, etc.

19. Cada componente da peça é responsável por seu vestuário de cena, bem como pelos acessórios que usará, ou seja, jarras, flores, livros, etc. Suas roupas e adereços estarão prontos com antecedência de vários dias e, no momento da apresentação, colocados em lugar de fácil acesso. Não esperar pelo diretor do grupo, sempre tão sobrecarregado, e muito menos pelo colega, com as mesmas responsabilidades. No dia da apresentação levar agulha, linha, alfinetes de segurança, tiras de pano de diversas cores; e tudo o mais que seja necessário para uma emergência no momento de compor a indumentária.

20. Lembrar a importância da voz e, nos dias que antecedem a peça, evitar tomar gelados, se tem a garganta facilmente irritável, e não fazer qualquer tipo de excesso que prejudique o bom desempenho das cordas vocais.

21. Aprenda durante os ensaios a não permanecer de costas para o público, o que não é admissível em cena. Fique de costas somente se a marcação do texto o exigir. Em caso contrário, represente sempre de frente ou de lado para a platéia. Lembre-se da importância da expressão facial quando estiver dizendo o seu texto.

22. No dia de apresentar a peça, já devem ter sido feitos todos os convites, estabelecendo dia, horário e local. Se a peça for de cunho evangelístico, os componentes do grupo procura-

rão ter colocado cartazes feitos a mão, ou em gráfica (quando possível), nos locais onde passe maior número de pessoas: colégios, mercados e até mesmo nos postes das ruas. Quanto aos estabelecimentos comerciais, os responsáveis por colar os cartazes deverão solicitar previamente a autorização do dono do estabelecimento. Aproveite então para convidá-lo e à família, animadamente, para a programação.

23. Quando for entrar em cena, esqueça literalmente o seu próprio *eu*. Procure despojar-se de si mesmo para que a personagem possa atuar melhor. Criando este hábito, você evitará reconhecer um parente ou conhecido sentado na primeira fila no dia da apresentação, o que certamente o deixaria nervoso com a hipótese de um mau desempenho.

24. Antes do momento de apresentar a peça, um dos componentes do grupo fará uma oração estando todos de mãos dadas. Em seguida, praticar um rápido afrouxar de nervos. (Na página 22 sugerimos como fazê-lo.) Essas medidas proporcionarão uma entrada em cena mais descontraída.

25. Um absoluto silêncio deve ser observado pelos componentes que ainda não tiverem entrado em cena. É comum (e desagradável) o vozerio que se costuma ouvir fora do templo enquanto a peça está sendo encenada ou nos momentos antes de começar. Para que isto seja evitado, procure lembrar-se que todas as orientações já foram dadas. No momento de entrar em cena, o importante é permanecer calado, descontraído e sob orientação de Deus. Aí sim — música, luzes acesas e... vai começar a peça.

Jograis

Tal como Isaías

(Para o aniversário do pastor)

3 Rapazes e 3 Moças

TODOS – "Os meus olhos viram o rei, o Senhor dos Exércitos!
1ª MOÇA – E um dos serafins voou para mim,
2º RAPAZ, 3ª MOÇA – trazendo na mão uma brasa viva,
3º RAPAZ – e ele a tirara do altar com uma tenaz;
RAPAZES – e com ela tocou a minha boca e disse:
MOÇAS – Eis que isto tocou os teus lábios; e a tua iniqüidade foi tirada, e purificado o teu pecado".
1º RAPAZ – Assim foi tocada também a boca do anjo desta igreja,
2ª MOÇA, 3º RAPAZ – como aconteceu a Isaías,
1ª MOÇA – para que anunciasse ao povo a salvação, a fim de que se arrependessem dos seus pecados,
RAPAZES – pois só através de Jesus se alcança a vida eterna.
3ª MOÇA – Porque Jesus é Maravilhoso, Conselheiro,
1º RAPAZ, 2ª MOÇA – Deus Forte, Pai da Eternidade.
MOÇAS – Ele é o Príncipe da Paz!
2º RAPAZ – O homem escolhido de Deus para esta igreja, sabia dessa responsabilidade, e,
RAPAZES – como sentinela colocada à porta das cidades, precisava anunciar.
3ª MOÇA – "Depois disto [*diz Isaías*] ouvi a voz do Senhor, que dizia:
1º RAPAZ – A quem enviarei, e quem há de ir por nós?
RAPAZES – Então disse eu: Eis-me aqui, envia-me a mim".
2ª MOÇA – Assim falou o Senhor a Isaías.

1ª MOÇA, 2º RAPAZ – E disse Deus também ao pastor da nossa igreja:
Todos – "Vai!
MOÇAS – e diz a este povo: Ouvis e não entendeis, e vedes, em verdade, mas não percebeis".
3º RAPAZ – E Isaías foi preparado para a sua grande missão.
1º RAPAZ, 2ª MOÇA – E assim preparou Deus também o pastor (o nome do pastor),
3ª MOÇA – para anunciar o Evangelho,
2º RAPAZ – para os grandes empreendimentos da igreja,
1ª MOÇA – e para visitar os enfermos, levando-lhes o consolo.
RAPAZES – Preparado foi para os difíceis momentos em que as decisões acarretam noites inteiras sem dormir.
MOÇAS – Preparado aos pés de Deus, em oração,
1ª MOÇA – para resolver as dificuldades da Igreja, e para as secretas lutas espirituais.
TODOS – Mas Deus tocou Isaías, e tocou também aquele que escolheu para esta igreja,
3ª MOÇA – para alegrar-se com os que se alegram e chorar com os que choram.
2ª MOÇA, 1º RAPAZ – Nas horas de tormento, Deus nunca o desamparou.
1ª MOÇA – "Trevas vêm te assustar,/ Tempestades no mar?/ Da montanha O Mestre te vê;/ E na tribulação/ Ele vem socorrer,/ Sua mão bem te pode suster.
TODOS – Solta o cabo da nau/ Toma os remos na mão/ E navega com fé em Jesus;/ E então tu verás/ Que bonança se faz/ Pois com Ele, seguro serás".
MOÇAS – "Tu a quem tomei... e te chamei dentre os seus mais excelentes e te disse:
RAPAZES – tu és o meu servo, a ti escolhi e não te rejeitei;
TODOS – não temas, porque eu sou contigo; não te assombres, porque eu sou o teu Deus;
2º RAPAZ – eu te esforço, e te ajudo, e te sustento com a destra da minha justiça".

1ª MOÇA – E o valoroso profeta Isaías não temia.
3º RAPAZ, 2ª MOÇA – E assim não teme o escolhido desta igreja,
MOÇAS – "porque eu, o Senhor teu Deus, te tomo pela tua mão direita e te digo:
TODOS – Não temas que eu te ajudo... o teu redentor é o Santo de Israel".
1º RAPAZ – Era este o nosso recado, pastor (nome do pastor), na noite feliz do seu aniversário.
2ª MOÇA – Nesta hora de festa, os nossos corações batem num só compasso de alegria.
RAPAZES – Estamos felizes, pastor, porque Deus, em sua sabedoria, o chamou para esta igreja.
3º RAPAZ – A sua presença aqui sempre nos orientou no rumo certo;
MOÇAS – na difícil escalada espiritual, olhando para Cristo, o nosso alvo,
1ª MOÇA – até que chegue o dia final.
2º RAPAZ, 3ª MOÇA – Portanto, que Deus o abençoe, pastor (nome do pastor).
RAPAZES – Que grandemente o abençoe o nosso Deus! que Ele o guarde!
TODOS – E de nossa parte, pastor, os mais sinceros parabéns!

A Notícia mais Importante

(Para o Dia dos pais)

3 Rapazes e 3 Moças

RAPAZES – Não. Ele não é o príncipe de Gales nem nunca foi presidente do Brasil.
2ª MOÇA – Os jornais não noticiariam a seu respeito nenhum fato extraordinário em que figurasse como herói.
1º RAPAZ – Em nenhuma enciclopédia o seu nome é encontrado,
1ª MOÇA, 2º RAPAZ – embora muito mais ele merecesse!
3ª MOÇA – O seu nome é um nome comum, e de bem poucos conhecido.
MOÇAS – É humilde, trabalhador, franco e muito honesto,
2ª MOÇA – qualidades que não costumam aparecer nos noticiários.
3º RAPAZ – Mas para mim, eu asseguro: ele é o homem mais importante do mundo.
TODOS – O mais importante, porque é meu pai.
2º RAPAZ – Poucos o conhecem, é verdade, mas ele sempre foi respeitado
1º RAPAZ, 2ª MOÇA – pela sua simplicidade, e pelos bons exemplos que dá.
1ª MOÇA – E foi através de papai que eu recebi os grandes ensinamentos:
2º RAPAZ – "Menino, queira sempre o que é seu: não tire nada de ninguém,
RAPAZES – pois por nada deste mundo se troca a honestidade.
1ª MOÇA, 2º RAPAZ – Em todo o tempo e circunstância, fale a verdade!

3º RAPAZ – Seja cuidadoso, disciplinado e amigo de todos!
1º RAPAZ – Pois é só assim que a gente vence na vida.
2ª MOÇA – E você, minha querida, cuidado com as vaidades e as ofertas que o mundo dá.
TODOS – E acima de tudo, meu filho, o mais importante: seja fiel para com Deus, e sempre constante!".
3ª MOÇA, 1º RAPAZ – Os conselhos do meu pai, em sábia orientação,
2ª MOÇA – formaram meu caminho e encheram meu coração.
MOÇAS – São marcos colocados na estrada, e que a mim só basta seguir.
1º RAPAZ – E, olhando para o seu exemplo,
3ª MOÇA – da vida não terei medo, porque o segredo, meu pai me soube dar:
2º RAPAZ – "Seja forte, valoroso, sempre honesto, e em Deus não deixe de acreditar,
TODOS – porque a fé, meu filho, é mesmo o maior tesouro que a gente pode ter".
2ª MOÇA – O mundo comemora hoje o seu dia, papai.
RAPAZES – Mais uma data apenas, marcada no calendário.
1ª MOÇA – Papai, eu não tenho um presente que o comércio anuncia,
3ª MOÇA – mas quero aproveitar a oportunidade
3º RAPAZ, 2ª MOÇA – para dizer-lhe bem alto, para todo o mundo escutar:
MOÇAS – Os seus conselhos, meu pai, eu quero sempre seguir,
TODOS – (Em voz alta) pois você é o homem mais importante que no mundo eu conheci!

Nas Mãos de minha Mãe

(Para o Dia das mães)

3 Rapazes e 3 Moças

TODOS – "A mão que embala o berço é a mão que dirige o mundo".
1ª MOÇA, 2º RAPAZ – Sim, é mesmo verdade que no lar se modela o caráter.
TODOS – (Murmuram a cantiga "Boi da Cara Preta".)
3ª MOÇA – Era assim que mamãe cantava, para me fazer dormir:
MOÇAS – Era assim que mamãe cantava...
3º RAPAZ – E o seu canto suave, a gente não esqueceu nunca mais!
2ª MOÇA – Nas mãos das mamães está o destino do mundo.
1ª MOÇA, 2º RAPAZ – O meu amor profundo reconhece e canta neste dia
3ª MOÇA – às mamães, que, com sabedoria, desde cedo já ensinam:
1º RAPAZ – o homem a cuidar da terra, o lavrador;
2ª MOÇA – a paciente enfermeira, a cuidar dos seus doentes;
3º RAPAZ, 1ª MOÇA – o que escreve nos quadros: o professor...
TODOS – E o seu dia, mamãe, é um somente entre tantos,
3ª MOÇA – um dia apenas, para quem sempre cuidou da gente,
2º RAPAZ – incansável, sempre forte, paciente...
3ª MOÇA, 1º RAPAZ – E quando vejo o mundo mergulhado em seus conflitos:
3º RAPAZ – drogas, guerras, marginalização...

2ª MOÇA – vejo o quanto têm sido esquecidas as lições aprendidas em casa.
RAPAZES – Filho, volta ao teu lar!
TODOS – Procure de volta os conselhos que só a mãe te pode dar.
MOÇAS – "Mulher virtuosa, quem a achará? O seu valor muito excede ao de rubis".
2º RAPAZ, 3ª MOÇA – "Abre sua mão ao aflito e ao necessitado estende as suas mãos".
1ª MOÇA – "Enganosa é a graça, a vaidade e a formosura...
3º RAPAZ – mas a mulher que teme ao Senhor, essa será louvada".
RAPAZES – "Levantam seus filhos e chamam-na bem-aventurada!".
2º RAPAZ – Minha mãe... a primeira professora, a quem a gente jamais esquece,
3ª MOÇA – um nome doce e bonito que o coração da gente aquece.
2º RAPAZ, 1ª MOÇA – Abençoa, Senhor, as mamães de nossa igreja!
2ª MOÇA – E as do mundo inteirinho,
3º RAPAZ – pelo cuidado conosco, pelo seu grande carinho!
TODOS – Abençoa, ó Deus, a todas elas!
MOÇAS – "Mulher virtuosa, quem a achará?".
1º RAPAZ – Obrigado, mamãe, por tudo o que me ensinou, e pelo que me ensina até hoje,
RAPAZES – mostrando-me como se anda, pela estrada da vida.
TODOS – Obrigado, Senhor, pela mamãe querida, cujo valor muito excede ao de rubis!

Canção Azul, Verde e Amarela

(Para o Dia da Pátria)

3 Rapazes e 3 Moças

TODOS – O meu Brasil, grande e faceiro como ele só, está enfeitado para a festa.
1ª MOÇA – Brasil sofisticado, no bronzeado das praias banhadas de sol.
1º RAPAZ, 2ª MOÇA – Brasil dos grandes rios e florestas tropicais...
RAPAZES – do índio e do caboclo, dos operários das fabricas e da mulher rendeira,
3ª MOÇA – Brasil – capital, poema da arquitetura:
2º RAPAZ – Nordeste dos jangadeiros que os poetas cantam em versos...
1ª MOÇA – Brasil da Amazônia, canção tropical, mágica e misteriosa...
MOÇAS – Brasil do churrasco e das festas da uva!
RAPAZES – Terra forte, terra gente, e "salve Deus a minha Pátria" dos filhos rebeldes que tentam pintar de vermelho o nosso verde e amarelo chão.
2ª MOÇA – Salve, salve mãe gentil, que abrigas, acolhes e consolas os filhos pródigos que voltam, saudosos, cansados do frio lá fora.
1º RAPAZ, 3ª MOÇA – "Brava gente brasileira", amiga, sincera, hospitaleira...
1ª MOÇA – na cidade ou no sertão entre as doces lavouras de cana-de-açúcar.
TODOS – Que hoje sejam tocados os clarins, em clarinadas brancas, limpas e alegres!
MOÇAS – Enormes grinaldas musicais para adornar os altos prédios e alegrar os corações.

RAPAZES – Que desfilem as nossas armas e, amém! – que continuem sem uso...;
1º RAPAZ – porque não somos um povo amigo das guerras.
2ª MOÇA – O nosso Brasil sem maldade, é verde-esperança, criança grande...;
1ª MOÇA, 2º RAPAZ – é como uma imensa varanda aberta e ensolarada no quintal do mundo!
3ª MOÇA – Grande coração, grande varanda, mãe gentil de tantas raças!
TODOS – Crianças, levem risonhas nossa bandeira, porque vocês são herdeiras desta nação.
2º RAPAZ – E marchem alegres, crianças!
MOÇAS – Em passos marchados para frente, no azul e branco uniforme e na determinação.
3º RAPAZ – E não se olha para os lados, Brasil menino, pois para a frente é que importa caminhar,
1ª MOÇA – porque você bem sabe que basta ser forte, honesto, destemido e valoroso para continuar e vencer.
TODOS – E "longe vá temor servil!".
MOÇAS – Já podeis prosseguir, imenso desafio...
1º RAPAZ, 2ª MOÇA – E no cenário do mundo teus verdes sóis podem brilhar!
2ª MOÇA, 3º RAPAZ – Brasil das roças e das cidades; meu Brasil, terra querida!
MOÇAS – Que Deus continue estendendo sobre esta nação a sua potente mão!
1º RAPAZ – "Salve Deus a minha Pátria...
TODOS – Meu Brasil, terra adorada, salve, salve!".

Para Encontrar a Manjedoura

(Para o Dia de Natal)

4 Rapazes e 4 Moças

TODOS – É hoje o Natal; em quase toda a terra é Natal.
MOÇAS – Em quase todos os corações hoje é Natal.
RAPAZES – Mas muitos lugares do mundo ainda não celebram o Natal!
2ª MOÇA – Muitos não conhecem o menino-Deus nascido na manjedoura em Belém.
1º RAPAZ, 3ª MOÇA – "Os pastores estavam guardando os rebanhos na vigília da noite...
2ª MOÇA, 3º RAPAZ – quando um anjo apareceu e os cercou de grande resplendor".
4ª MOÇA – Os pastores então tiveram medo,
MOÇAS – mas o anjo lhes disse, em toda a sua luz:
4º RAPAZ – Não temais! Porque eis que vos trago novas de grande alegria, que será para todo o povo.
TODOS – Na cidade de Davi, vos nasceu hoje o Salvador, que é Cristo, o Senhor".
2ª MOÇA – E o anjo ainda lhes disse que encontrariam o menino envolto em panos...
MOÇAS – e deitado numa manjedoura.
RAPAZES – "E apareceu no céu uma grande multidão dos exércitos celestiais, louvando a Deus e dizendo:
TODOS – Glória a Deus nas alturas, paz na terra, boa vontade para com os homens".
1º RAPAZ, 4ª MOÇA – Ah! Eles tiveram grande contentamento, e foram depressa a Belém!
2º RAPAZ – Encontraram então o Messias, o esperado das nações.

3ª MOÇA – E ali, na pobre estrebaria...

4º RAPAZ – entre José e Maria, estava o Filho de Deus!

MOÇAS – Hoje é Natal: em quase toda a terra é Natal,

2º RAPAZ – mas muitos não conhecem o Natal verdadeiro que acontece primeiro dentro do coração.

4ª MOÇA, 1º RAPAZ – O que o mundo comemora hoje é o Natal dos presentes,

3ª MOÇA – o Natal das festas e do vinho que entorpece os sentidos;

MOÇAS – para os que não conhecem o caminho da manjedoura hoje é o dia dos enfeites,

1º RAPAZ – dos enfeites que se gastam e se perdem com o tempo:

2º RAPAZ – (Preocupados) uma bicicleta para o Marcelo... e uma grande boneca para a Beatriz.

1ª MOÇA – (Irônica) Um colar, vestido e sapatos novos... é o que me faz feliz!

3º RAPAZ, 4ª MOÇA – (Irônicos) E a decoração da casa? Gostou do tom azul?

2ª MOÇA – Bela árvore de Natal, tão alta e toda enfeitada!

TODOS – Mas este é o Natal do comércio e dos que não conhecem Jesus,

3ª MOÇA – porque Jesus, minha gente, não está nos anúncios coloridos das lojas de brinquedos.

2ª MOÇA, 3º RAPAZ – O nascimento de Cristo, o verdadeiro Natal...

4º RAPAZ– é mesmo dia de festa, mas festa espiritual!

MOÇAS – É a simplicidade no amor ao próximo quando se divide a ceia.

1ª MOÇA – É a alegria sincera, na imorredoura esperança

TODOS – de quem aceita para sempre Jesus, o Deus feito criança,

4ª MOÇA – a mensagem maior de fé, que é certeza de vida eterna,

1ª MOÇA, 2º RAPAZ – que só se consegue obter no caminho da manjedoura,

3º RAPAZ – que leva até o Calvário!

2ª MOÇA – E assim, será sempre Natal...

TODOS – em toda a terra, em cada adoração: sempre Natal!

Tempo de Vencer

(Para o Ano-Novo)

3 Rapazes e 3 Moças

TODOS – O tempo marca uma nova hora, e é agora o tempo de mudar, o tempo de vencer,
1º RAPAZ – pois para tudo tem Deus o tempo determinado para todo o propósito debaixo do céu:
2º RAPAZ – tempo de plantar e tempo de arrancar o que se plantou;
1ª MOÇA – tempo de chorar e tempo de rir;
TODOS – tempo de prantear e tempo de saltar de alegria;
2ª MOÇA, 3º RAPAZ – tempo de guerra... e tempo de paz.
RAPAZES – O tempo marca uma nova hora – é agora o tempo de mudar.
MOÇAS – Mudar e recomeçar... formular novos planos e planejar grandes realizações.
3º RAPAZ – Nunca é tarde demais para as novas decisões – as estradas esperam os fortes.
3ª MOÇA, 2º RAPAZ – "Caminhante, não há caminho, a gente faz o caminho ao andar".
TODOS – E nós não andamos sozinhos! Cristo segue conosco, mesmo quando o nosso caminho é o "caminho de Emaús";
MOÇAS – mesmo que haja tempestade no mar e o barco ameace naufragar...
1ª MOÇA – "Oh! Por que duvidar,/ Sobre as ondas do mar,/ Quando Cristo caminho abriu?/ Quando forçado és, contra as ondas lutar,/ Seu amor a ti quer revelar.
TODOS – "Solta o cabo da nau/ Toma os remos na mão,/ E navega com fé em Jesus;/ E então tu verás, que bonança se faz,/ Pois com Ele seguro serás!".

RAPAZES – Com Ele, o Mestre,/ Seguro serás./ Sempre! Em todos os momentos./ É tão-somente confiar.

TODOS – (Animadamente) "Eu só confio no Senhor,/ Para me guiar,/ Eu só confio no Senhor,/ Sigo a cantar;/ Se o sol chegara a escurecer/ E o céu toldar,/ Eu só confio no Senhor,/ Que não vai falhar!".

MOÇAS – Deixa então que o mundo corra sem saber para onde ir.

1ª MOÇA, 1º RAPAZ – Mas que a tua corrida seja para receber o prêmio de alcançar o alvo – que é Cristo!

2º RAPAZ – O tempo marca uma nova hora, um novo ano que se inicia, um novo desafio que a nós não assusta.

3ª MOÇA – Nem nunca assustará, pois o que é para nós um ano-novo, se em Cristo temos a eternidade?

TODOS – A eternidade é muito mais do que milhares e milhares de anos.

1ª MOÇA – Um ano-novo é para nós apenas um novo passo para a frente e para o alto, em direção a Cristo.

2ª MOÇA, 1º RAPAZ – Mas é preciso ser forte; é preciso ser um verdadeiro cristão.

TODOS – "Sê fiel até a morte e dar-te-ei a coroa da vida".

1ª MOÇA – Receber o prêmio ao final da carreira é para nós muito mais importante que as metas que o mundo faz para si:

2ª MOÇA – um automóvel do ano, uma televisão a cores,

3º RAPAZ – um lugar importante na administração da empresa, muito dinheiro no banco e grande prestígio social!

TODOS – "Não acumuleis tesouros na terra, onde a traça e a ferrugem consomem...

MOÇAS – mas acumulai tesouros no céu, onde os ladrões não minam nem roubam,

RAPAZES – porque onde estiver o vosso tesouro aí estará também o vosso coração".

2º RAPAZ – O tempo marca a hora de agradecer, hora de cantar louvores com o coração alegre.

TODOS – Muito obrigado, Senhor,

1ª MOÇA – pelas lutas e vitórias, pelos sorrisos e pelas lágrimas, que nos tornaram mais fortes.
1º RAPAZ – Obrigado, Senhor, pelas alegrais recebidas, pois sabemos que vieram de ti.
2ª MOÇA – Obrigada pela chuva e pelos lindos raios de sol. Obrigada pela terra fértil e pelas flores no meu caminho.
2º RAPAZ – Eu te agradeço, Senhor, pela água que matou a minha sede e pelo pão que me deste a cada dia.
3ª MOÇA – Obrigada pelo sustento e pelas lições que recebi de ti.
3º RAPAZ – Obrigado pelo teto, o bom abrigo que escolheste para mim e para os meus.
TODOS – Obrigado pela minha igreja, pelo convívio dos irmãos e pelas alegrias que juntos repartimos.
MOÇAS – E que eu não me esqueça nunca de agradecer a maior dádiva, a maior e mais bela entre todas as que recebemos:
TODOS – A salvação em Jesus Cristo, o Maravilhoso, o Conselheiro, o Deus Forte, o Pai da Eternidade, o Príncipe da Paz!

Canto de Alegria

(Louvor)

5 Componentes

1 – Senhor, eu sei que tu estás no claro amanhecer,
2 – no campo, entre o canto da passarada...
3 – Sim, as tuas mãos pintaram o pôr-do-sol, em tintas de infinito amor,
4 – na grande variedade das cores que eu tanto gosto de ver!
5 – Sei que estás entre os pingos da chuva que na terra fazem brotar a semente...
TODOS – Sim, ó Deus, eu posso perceber, contente, em tudo as tuas mãos:
1 e 2 – no rio que à noite reflete a luz do luar;
3 – no céu enfeitado de estrelas, e no azul profundo do mar.
4 – Eu sei, Senhor, aí estás... estás em tudo e em todas as coisas;
5 – até mesmo na solidão e no frio das enfermarias do hospital;
3 – entre os frascos de soro e os tubos de oxigênio.
4, 3 e 5 – Em meio à dor, também eu sinto o teu amor.
TODOS – (Cantam suavemente) "Mais perto quero estar,/ Meu Deus, de ti!/ Inda que seja a dor/ Que me una a ti./ Sempre hei de suplicar – Mais perto quero estar,/ Mais perto quero estar,/ Meu Deus, de ti!".
4 – Em tudo e em todas as coisas... me respondes quando suplico a tua proteção.
5 – Eu te agradeço, Pai, pela tua presença, quando dobro os meus joelhos no chão.
1 e 3 – Oh! Doce e inefável prazer posso sentir então!

4 – E a tua presença se faz sentir nos meus olhos que choram;
2 – mas chorar me faz bem, pois me consola e é o que me prova
1 – que enviaste sobre mim o Consolador.
TODOS – "Tu me cercaste em volta e puseste sobre mim a tua mão", e eu me alegro como o salmista.
4 e 5 – E então, Senhor, que grande contentamento!
1 – Pois sinto em mim a beleza dos mares, do sol, do firmamento.
2 – Mais belo que o pôr-do-sol é o teu Espírito, Senhor!
3 – Ele me eleva às portas da grande alegria,
3 e 4 – e sinto tal felicidade, que o meu canto com o dos pássaros se confunde.
TODOS – Louvado sejas, Senhor, porque em mim habitas em tua sabedoria!
5 – Sim, louvado sejas, tu que em toda a natureza transpareces!
2 – Tu, que me consolas quando oro... e choro;
1 – e me engrandece mais que o sol que brilha!
3 – Louvado! Louvado sejas, oh! Deus,
4 – cujos pensamentos são maiores, bem maiores que os meus!
1 e 5 – E o sentir-te é sentir-me mais sublime que a natureza inteira!
TODOS – Sim, louvado! Louvado sejas!
2 – Rei dos reis, Senhor dos senhores,
3 – que me alegras e afasta de mim todos os temores,
4 e 5 – para sempre e sempre, oh! Deus, sejas louvado!
1 – Oh! Santo de Israel, meu Redentor!
2 – Pai de infinita misericórdia, e grande Consolador...
TODOS – Oh! Sim, louvado seja o meu Senhor!

Peças

O Filho Pródigo

(Para o Dia dos pais)

PERSONAGENS: Elifaz, o pai; Lídia, a mãe; Lúcio, o filho mais novo; Yanaros, o filho mais velho; Kaloni, o servo; Leonora, a serva.

ROUPAS – Serão as da época do início do Cristianismo. O grupo deverá criá-las levando em conta tratar-se de uma história em que existem servos e senhores; logo, as roupas destes são diferentes das daqueles. Utilizar o material que se tenha disponível e ter o cuidado de não repetir muito as cores.
CENÁRIOS – Imagináveis.
MÚSICA e iluminação – Criação do grupo.
ACESSÓRIO – 1 anel que será entregue a Lúcio, no final.

PRIMEIRO ATO

Lídia entra em cena e anda de um lado para outro, como se estivesse preocupada. Em seguida entra Elifaz.

ELIFAZ – Novamente essa tristeza, Lídia... Por que já não é o mesmo o seu semblante? Você foi sempre uma mulher alegre.
LÍDIA – Não queria dizer-lhe, meu marido, mas estou preocupada com Lúcio, o nosso filho mais novo.
ELIFAZ – Lúcio? Mas o que tem ele? Não passa de um jovem sonhador; creia!
LÍDIA – Não, não é só isso. Tenho notado grandes mudanças nele. Ainda ontem ameaçou a Kaloni, o servo, simplesmente porque ele não lhe trouxe as sandálias certas.
ELIFAZ – A Kaloni?! Ora, mas Lúcio sempre gostou tanto daquele servo...

LÍDIA – Eu sei, e é por isso que me preocupo. Além do mais, Lúcio quase não tem ficado em casa, preferindo afastar-se de nossas propriedades e indo para os lados da cidade.
(Entra Yanaros trazendo um rolo com um pergaminho.)
ELIFAZ – Ora, salve! Cá está o nosso Yanaros. E então, meu filho, o que está escrevendo agora?
Yanaros – O histórico de nossa estirpe, meu pai. (Desenrola o papel e o estende para que o pai veja.) Temos aqui grande parte de nossa linhagem. Creio que o senhor gostará de ajudar-me em meu trabalho.
ELIFAZ – Sim, e por que não? Este será o nosso mais importante livro, meu filho. E todas as gerações conhecerão a nossa história!
LÍDIA – Fico feliz por você, Yanaros. Sempre dedicado ao trabalho e à nossa família.
LEONORA – (Entra com um manto nas mãos) Trouxe-lhe o seu manto, senhora. É hora do seu passeio no jardim e faz um pouco de frio.
LÍDIA – Muito obrigada, Leonora. Por acaso, viu o meu filho Lúcio?
LEONORA – Sim, porém muito cedo. Saiu a cavalo com uns rapazes da cidade que vieram buscá-lo.
YANAROS – Temo que não sejam boa companhia para meu irmão.
ELIFAZ – Procurarei falar-lhe logo que possível. Lúcio é quase um menino e está cheio de ilusões.
LEONORA – Quer que a acompanhe ao jardim, senhora?
Lídia – Sim, obrigada, Leonora. Vamos então, antes que fique muito tarde. (Saem caminhando entre o público em direção à porta principal.)

(Pai e filho ficam em cena como se estivessem estudando o pergaminho.)

LEONORA – (No meio do público) Os filhos são assim mesmo, senhora. Tive três filhos e sei quanto se sofre por eles.

LÍDIA – (Fala, parando como a observar um canteiro) Mas me preocupo também por Elifaz; meu marido, que tanto ama os filhos. Sei o quanto sofre por Lúcio ser tão desajuizado!
LEONORA – Tudo se arranjará, não tema! A mocidade só aprende mesmo com o tempo, com a própria vida que se encarrega deles.
LÍDIA – Você é uma amiga, Leonora; é mais do que uma serva. (Saem para fora.)
Elifaz – (Continuando em cena com o filho.) Orgulho-me de você, Yanaros. Seus livros são o maior tesouro de nossa família.
YANAROS – Obrigado, meu pai. Agora tenho de continuar os meus estudos na sala dos nossos antepassados. Boa-noite!
ELIFAZ – Boa-noite, filho. Que Deus o abençoe!
Yanaros – (Dando alguns passos para sair, lembra-se de algo e diz da porta.) Meu pai, não esqueça de entregar-me amanhã as anotações que tem da história de nossa família. Isso muito ajudará.
ELIFAZ – Sim, não me esquecerei, fique tranqüilo! (Yanaros sai e Elifaz vem para a boca de cena preocupado, e diz:) Meu Deus, quanto gostaria que Lúcio fosse tão ajuizado quanto Yanaros! Mas não posso demonstrar minha inquietação diante de Lídia, que pode sofrer mais ainda.

(Lúcio entra apressadamente.)

LÚCIO – Oh! está aí, meu pai. Que ótimo! Precisava mesmo falar-lhe.
ELIFAZ – Por onde andou, filho? Por que tanta pressa?...
LÚCIO – Estive com uns amigos. Sabe, pai, temos muitos planos!
ELIFAZ – Que planos são esses, Lúcio?
LÚCIO – (Rindo, entusiasmado) Ora, grandes planos... Pretendemos sair pelo mundo, conquistar cidades. Tomar navios, desbravar os mares!...
ELIFAZ – (Tocando com as mãos os ombros do filho, de frente para ele.) Cuidado com os sonhos, Lúcio! Nem sempre eles nos fazem bem.

LÚCIO – (Virando-se bruscamente das mãos do pai) O senhor e os seus conselhos meu pai! Saiba que já sou um homem e sei bem o que faço. Já não preciso da sua orientação.
ELIFAZ – Pois bem... e como fará para as suas viagens?
Lúcio – Era sobre isto mesmo é que eu queria falar-lhe. Peço-lhe que me dê a parte da fazenda que me pertence.
ELIFAZ – (Triste e preocupado) Já que você deseja isto, assim o farei. Vamos à biblioteca para os cálculos. (Saem.)

Após breve pausa com música ligeira, Lúcio volta à cena com uma pequena bolsa de tecido rústico, e conta as moedas.

KALONI – (Entrando) Precisa da minha ajuda, senhor Lúcio?
LÚCIO – Não perturbe, Kaloni, já lhe disse que não preciso de você, a não ser para lavar os cavalos.
KALONI – Mas a senhora Lídia pediu-me que o auxiliasse sempre.
LÚCIO – Minha mãe é uma mulher nervosa, apenas isso. Não acredite muito no que ela lhe diz.
KALONI – (Adquirindo coragem) Permita-me falar-lhe, senhor! Aqueles rapazes que o acompanharam ontem à noite à cidade não são nada recomendáveis.
LÚCIO – (Com raiva) Não se atreva a falar dos meus amigos!
KALONI – Já pude vê-los na cidade a saquear os mercados.
LÚCIO – Não diga asneiras. São homens ricos, por que precisariam roubar?
KALONI – Eles o fazem pelo simples prazer de criar o tumulto entre a gente honesta. São na verdade uns desordeiros.
LÚCIO – (Gritando) Cale-se, se não quer que eu passe a esbofeteá-lo! (Levanta o braço para atingir o servo, mas vê a mãe que entra e abaixa a mão.)
LÍDIA – (Entrando com Leonora) Mas o que é isto, meu filho? Não precisa agir assim com Kaloni que só quer o seu bem!
LÚCIO – Ora vocês todos! (Com ódio). Já não os tolero mais com as suas pieguices! Adeus, minha mãe, eu já estava mesmo de saída!

LÍDIA – Para onde vai, meu filho?
LÚCIO – Meu pai contará os detalhes de minha partida. Não tenho tempo a perder. Adeus! (Sai apressadamente).

(Em cena, Lídia fica nervosa, olhando a porta por onde saiu o filho.)

Leonora – Tenha calma, senhora! Deus há de ajudá-la a superar tudo.

(Entra Elifaz.)

LÍDIA – Oh! Elifaz, Lúcio se foi!
ELIFAZ – (Preocupado, mas tentando dominar-se) Sim, eu sei. Mas ainda somos uma família, Lídia. (Dirigindo-se a Kaloni, diz:) Yanaros precisa de você na parte leste da casa.
KALONI – (Com uma reverência à moda oriental) Sim, meu senhor. (Sai.)

(Leonora sai também de cena.)

ELIFAZ – Imploremos a Deus por Lúcio, Lídia! (Ajoelham-se).
– "Senhor, Deus de Abraão, eu vos peço por meu filho. Tomai-o sob a vossa proteção para que ele não se perca nos tortuosos caminhos da aventura. Abençoai-o por onde quer que ande. Amém".

(Saem cabisbaixos. Elifaz com o braço em torno do ombro de Lídia.)

Segundo Ato

(Após música especial, a critério do grupo, entram Kaloni e Leonora e se colocam à frente, um em cada extremidade do espaço.)

KALONI – "E [Lúcio], tendo partido para terras longínquas, desperdiçou sua fazenda, vivendo dissolutamente".
LEONORA – "E havendo ele gasto tudo, houve naquela terra uma grande fome, e começou a padecer necessidade".
KALONI – "E foi, e chegou-se a um dos cidadãos daquela terra, o qual o mandou apascentar porcos...".
LEONORA – "E ele teve fome e desejou comer o que os porcos comiam, mas ninguém lhe dava nada" (Saem os dois).

(Lúcio aparece no centro da cena, sujo e maltrapilho, tendo os cabelos em desalinho.)

LÚCIO – (Aos tropeções, acaba caindo.) Que terrível situação a minha! (Levanta-se) Quase não posso caminhar, de tanta fome. Quantos empregados em casa do meu pai têm abundância de pão e eu aqui a perecer de fome!
VOZ DE ELIFAZ – (Fora de cena, parecendo vir de longe.) "Cuidado com os sonhos, Lúcio! Nem sempre eles nos fazem bem".
Lúcio – (Como se recordasse) Como tinha razão o meu velho pai! Irei ter com ele e lhe direi: "Pai, pequei contra o céu e perante ti!" (Sai pela porta dos fundos, a tropeçar.)

(Aparecem Lídia e Elifaz.)

LÍDIA – E então, Elifaz? Foi tudo bem com os empregados no campo?
ELIFAZ – Sim, tudo bem. Finalmente pude pagar a todos. Tivemos boa colheita.
LÍDIA – Mas você está triste.
ELIFAZ – Todos estamos tristes depois que Lúcio se foi. Faz hoje um ano... Por onde andará meu filho, que não manda notícias? (Olha para a platéia, como se olhasse para os campos à distância.)
LÚCIO – (Entra correndo pela porta principal, com o mesmo aspecto: maltrapilho, porém agora alegre.) Meu pai!...

ELIFAZ – (Correndo para abraçá-lo) Filho!... Oh! Deus, que alegria!
LÚCIO – Já não sou digno de ser chamado seu filho; trate-me como a um dos seus empregados!
ELIFAZ – (Abraçando Lúcio e trazendo-o para o centro da cena [o rapaz fica temeroso diante da mãe, que o abraça em seguida, emocionada], grita:) Kaloni, venha rápido!

(Kaloni entra acompanhado de Yanaros e os dois ficam surpresos
com a presença de Lúcio.)

ELIFAZ – Vejam! é Lúcio que volta! Kaloni, traga as melhores roupas de Lúcio, assim como os alparcas e também aquele anel que guardamos para o dia de sua volta!
YANAROS – (Entrando em cena) Não compreendo, meu pai! Toda esta alegria pela volta de um filho aventureiro como Lúcio!?
ELIFAZ – Venha, Yanaros, alegremo-nos com Lúcio!
LÚCIO – (Envergonhado) Vou procurar minhas roupas com Kaloni, pai. (Sai.)
YANAROS – (Indignado) Tenho estado com o senhor todos estes anos, tratando dos assuntos de nossa família, e nunca demonstrou para comigo tal alegria!
ELIFAZ – (Abraçando-o) Filho, você disse a verdade: sempre esteve comigo. Somos felizes, não? Mas quanto a Lúcio era como morto e reviveu. Tinha-se perdido e o encontramos!
YANAROS – (Mais calmo) Seja como o senhor ordena, meu pai. Devo respeitá-lo.

(Voltam todos à cena, inclusive Kaloni e Leonora.
Lúcio está vestido com as roupas do 1º ato.)

ELIFAZ – Alegrem-se! Teremos hoje uma grande festa, a maior festa de que já se teve notícias nesta terra. Meu filho voltou! Tome, filho, é o seu anel. (Coloca no dedo de Lúcio o anel que Kaloni lhe entrega.)

LÚCIO – (Abraçando respeitosamente o pai) Obrigado, meu pai! Eis que ficarei para sempre aqui (olha com amor para a família) entre vocês, que tanto souberam provar o seu amor para comigo.
ELIFAZ – Kaloni, apressa-te! Põe na grande mesa o bezerro cevado; acende todas as luzes e pede aos músicos que toquem as mais belas canções! Quero hoje muita alegria nesta casa, muita alegria!

Fazem uma cena em estático: Kaloni como se saísse sorrindo, apressado; Leonora o seguindo alegremente; Elifaz, Lídia, Yanaros e Lúcio abraçados, felizes. Música especial.

O Desafio Brasileiro

(Para o Dia de missões)

PERSONAGENS (seis moças):

NARRADORA – Túnica verde, comprida, e duas faixas (azul e amarela) amarradas à cintura.

MINAS GERAIS – Moça com roupa rodeada, de chita; avental de algodão branco, e lenço estampado, amarrado nos cabelos e preso debaixo do queixo. Chapéu de palha na cabeça. Deverá trazer uma peneira, também de palha, nas mãos.

BRASÍLIA – Moça vestida como dama da sociedade: vestido longo, elegante, sapatos e bolsa combinando, e um leque para abanar-se enquanto fala.

RIO GRANDE DO SUL – Moça com roupa bem abaixo dos joelhos, cheia de babados, bastante colorida. Flores nos cabelos e um lenço de cor viva, liso, amarrado ao lado, no pescoço, à maneira do Sul. Se possível, trazer nas mãos uma cabaça de chimarrão.

CEARÁ – Moça pobremente vestida: roupas bem surradas. Os cabelos penteados em duas tranças caídas dos lados do rosto. Chinelos muito velhos. Trouxa de roupas na mão, como retirante do Nordeste.

AMAZONAS – Moça escolhida; deverá ser de cor moreno-escura. Usar uma túnica de comprimento normal, feita de saco de estopa (forrada com outro tecido mais leve). Costurar na túnica, de modo criativo, algumas contas coloridas. Descalça, usará no tornozelo uma tira de pano vermelha, com pequenas contas. Nos cabelos, usará também, passada pela fronte, uma tira vermelha, com contas, e tendo na parte, por trás da cabeça, uma bonita pena colorida.

CENÁRIOS – Imagináveis.
ILUMINAÇÃO – A critério do grupo.
MÚSICAS – Sugerimos alguns hinos e o grupo poderá incluir outros, se desejar.

NARRADORA – (Entra, colocando-se no centro da cena) Brasil: Terra mãe da alegria; é a própria poesia, retratada em toda a natureza, que canta no compasso da vida. Brasil elegante, sofisticado e bronzeado ao sol de Ipanema e amargurado nos trens da Central. Terra dos favelados que descem o morro para cantar e dançar. Brasil das grandes cidades que utilizam o computador e andam no metrô. Brasil dos grandes rios e florestas tropicais; do índio e do caboclo; das lindas campinas; das tangerinas e dos arrozais. Terra forte, terra gente – imenso desafio dentro do continente. Responde, Brasil, nesta hora indecisa do mundo inteiro, qual a tua maior necessidade? "Ao som do mar e à luz do céu profundo", o que te traria a felicidade? (Sai.)

(Solo ou dueto da primeira estrofe do hino 439, do Cantor Cristão.)

MINAS GERAIS – (Entra e coloca-se também no centro) Minas Gerais: Terra poética que lembra Ouro Preto e o barroco do mestre Aleijadinho. Nas ruas, em tempo de festa, o folclore colorido do "Bumba-meu-boi". Minas Gerais que fornece matéria-prima (minérios) para o progresso da pátria comum. Terra das colheitas do café (faz com a peneira o movimento de jogar para o alto os grãos de café, para tirar as impurezas); das laranjas cor de ouro e do saboroso arroz. Meu solo é riquíssimo, mas a minha gente é simples, hospitaleira e sincera. Há muitos em minhas cidades, e no sertão, que nunca ouviram falar do Evangelho. Deixo o meu desafio dirigido aos moços e a todos os que se disponham a obedecer ao "Ide!" de Jesus Cristo. (Sai.)

BRASÍLIA – (Entrando, coloca-se no lugar de Minas Gerais.) Situo-me na Região Centro-Oeste do nosso país. Sou a cidade mais importante, por ser a capital – Brasília. Brasília: Poema de arquitetura, saída das mãos de Oscar Niemeyer: o brasileiro que ainda em vida, além de Pablo Picasso, mereceu exposição no Museu do Louvre, em Paris. Todos gostam de morar em mim (abana-se) porque é chique. Em mim há elegantes jantares e nunca faltam grandes reuniões da sociedade. Religião? – Tenho o candomblé, é claro! Vou sempre à Bahia, tão pertinho, cuidar das minhas obrigações. Sou devota de Iemanjá e não gosto de perder a lavagem do Bonfim. Evangelho? – O que é?... Não, eu não sei. Mas agora desculpem, vai haver uma importante reunião, e tenho de atender os presentes. Adeus! (Sai.)

RIO GRANDE DO SUL – (Entra para o meio da cena) Rio Grande do Sul: Terra rica, de produção agrícola e pecuária. Meus rebanhos chegam a perfazer um terço do rebanho nacional e, por isso, é muito fácil lembrar o churrasco ao ouvir falar de mim – Rio Grande. Somos um povo alegre por natureza e gostamos de conversar e dançar, tomando o nosso delicioso chimarrão nas noites frias e enluaradas. De fevereiro a março temos a Festa da Uva, em Caxias do Sul. Temos muito vinho e alegria. A Festa da Uva e as danças típicas são a nossa felicidade na terra... (triste), mas e depois?... a nossa alegria continuará no céu? Eu não sei... Viver é uma festa e eu tenho medo da morte! (Sai.)

CEARÁ – (Entra pela porta principal, olhando para as pessoas com ar envergonhado. Começa a falar no centro da cena.) Sou uma parte do Ceará, terra do Nordeste. Centenas de milhares de nós já estamos em São Paulo. Eu e minha família – eles estão lá fora, enquanto eu entrei aqui para conversar um pouquinho com vocês – também vamos pra São Paulo de caminhão. Como os outros, saímos de nossa cidade por causa da seca. Sim, no sertão sempre há muita seca. A gente perde tudo, até a alegria de viver. Meu menino menor tá doente e não adianta mais nem promessa pra Padim Ciço. Acho que ele tem é saudade de casa. Eu também tô num aperreio de saudade – tristeza grande no peito que parece acabar mais não. (Abaixa a cabeça tristemente e depois levanta o rosto, sorrindo encabulada.) Sim, a nossa terra, o Ceará, tem coisa bonita também, ô xente! Tem os jangadeiros, que os poetas cantam em versos... Tem a mulher rendeira, que faz poemas trançados em linha. E a rapadura, docinha mais que sorriso de criança! Até gente da cidade gosta. Lá se cultiva muito algodão. Os campos ficam branquinhos que nem carneirinhos de nuvens! (Triste.) Mas o sertão é triste quando chega a seca: morre o gado, a plantação, e muita gente morre de fome. A gente reza muito pra Padim Ciço ajudá, mas não adianta. Bem, mas eu vou indo, o caminhão tá chamando. (Sai por onde entrou.)

AMAZONAS – (Coloca-se no centro da cena) "O Amazonas é o pulmão do mundo", disse a nosso respeito uma personalidade muito importante dos dias de hoje. Sou o maior Estado do Brasil, e maior do que muitos países. Sou a terra dos maiores desafios da atualidade. O rio-mar e as florestas imensas, cheias dos mais variados animais e das mais lindas aves, tudo forma grandes riquezas da pátria comum. Amazônia – canção tropical, mágica e misteriosa! No entanto, entre tanta beleza, tanta riqueza, existem necessidades urgentes. Em meu seio muitos morrem sem recurso médico. Muitos nunca foram alfabetizados e jamais ouviram o canto de um hino cristão. O caboclo e o índio precisam muito ser lembrados. Quem irá mostrar-lhes o caminho para a eternidade?! (Sai.)

(Cantar a primeira e a segunda estrofes do hino 444, do Cantor Cristão.)

NARRADORA – (Entrando) Brasil forte, Brasil gente. Nesta hora indecisa do mundo inteiro, qual a tua maior necessidade? Qual o teu maior desafio? (Entram as demais participantes e fazem um semicírculo à frente, juntamente com a narradora.)

Minas Gerais – Minas Gerais histórica, mas muitos em ti não ouviram ainda a mais bela história – a de Jesus de Nazaré.

Brasília – Brasília, a grande capital, e como toda grande cidade, cheia de conflitos espirituais.

CEARÁ – Ceará do algodão, da cana-de-açúcar e da mulher rendeira. A mensagem de Jesus Cristo precisa ser levada ainda a muitos dos nordestinos.

AMAZONAS – Amazonas, norte do Brasil, onde pulsam milhares de vidas que desconhecem o Evangelho da Graça.

Rio Grande do Sul – Rio Grande da Festa da Uva – gente ordeira e alegre, porém cheia de perguntas espirituais.

NARRADORA – O grande desafio brasileiro está no campo espiritual. No Dia de missões, que sejamos inspirados a contribuir mais para o sustento de nossos missionários! E, se a chamada vier para o serviço nos campos, que estão brancos para a ceifa, que possamos responder:

TODAS – (Animadamente e sorrindo) "Eis-me aqui, envia-me a mim!".

(Todas, de mãos dadas, cantam a primeira e a terceira estrofes do hino 527, da Harpa Cristã.)

Dorcas e o Amor

PERSONAGENS: Dorcas; Mariana; Lilás; Pedro; Simão e Tiago.

CENÁRIOS – Utilizar apenas 3 bancos rústicos no espaço cênico.
INDUMENTÁRIAS – Roupas simples, da época do início do Cristianismo.
ACESSÓRIOS – Tecido, linha e agulha.

(Dorcas entra em cena trazendo sua costura e senta-se num dos bancos, começando a trabalhar.)

VOZ OCULTA – "Havia em Jope uma discípula chamada Tabita, que traduzindo se diz Dorcas. Esta estava cheia de boas obras e de esmolas que fazia".

(Dorcas olha ao longe, sorrindo. Em seguida entram Mariana e Lilás; esta última aparenta grande tristeza.)

MARIANA – Salve, minha querida Dorcas! Que a paz de Jesus Cristo esteja contigo!
DORCAS – (Levantando-se, abraça Mariana e olha interrogativamente para Lilás.) Amém, irmãzinha. Mas quem é a nossa visitante?
MARIANA – Chama-se Lilás e mora numa aldeia muito distante daqui. Ela tem um grande problema.
DORCAS – (Mostrando os bancos) Por favor, sentem-se. (Para Lilás) Posso ajudá-la?
LILÁS – (Angustiada) Eu... eu não sei. Não sei nem mesmo o que fazer para continuar vivendo.

MARIANA – Lilás estava casada há apenas dois anos e seu marido foi assassinado por salteadores na estrada.
DORCAS – Oh! pobrezinha! E os seus parentes?
LILÁS – Não tenho parentes aqui. Os meus parentes vivem depois dos mares, em outro país.
Mariana – O marido de Lilás trabalhava na lavoura de um homem muito importante, que agora diz não ser possível que ela continue morando em suas propriedades.
LILÁS – Pedi-lhe que me deixasse trabalhar nos campos, mas ele alegou que sou muito franzina para a lavoura e não darei produção suficiente.
DORCAS – (Levantando-se revoltada) Mas que maldade desse homem! Não lhe custaria nada deixar que você continuasse morando em sua casinha.
MARIANA – A terra pertence a ele, e é rico, e não deseja dividir nem mesmo um pequeno pedaço.
DORCAS – Mas isto não tem a menor importância. (Abraça Lilás.) Você ficará morando aqui, irmãzinha; está bem?
LILÁS – (Levantando-se) Aqui? Oh! Não, eu não gostaria de ser um peso a mais. Mariana contou-me do seu grande trabalho com os pobres.
MARIANA – Sim, eu lhe disse que já abriga mulheres pobres, e algumas são viúvas também.
DORCAS – E o que tem isso? O Senhor Jesus certamente nos fornecerá os meios de abrigar também Lilás.
MARIANA – Mas você tem tido tanto trabalho com as costuras...
DORCAS – (Sorrindo) Você sabe quanto amo meu trabalho, Mariana. Ainda agora estava aqui fazendo esta bainha ao mesmo tempo em que admirava o pôr-do-sol. Vejam, não está belíssimo?! Deus nos manda recados de beleza desenhados no céu.
MARIANA – Você é mesmo uma grande serva de Deus.
DORCAS – Por favor, irmã, não diga isso. Se sou serva, não tenho nenhuma importância. Grande em amor é Deus, que nos enviou seu Filho Jesus. Lembra-se do que disse sobre o amor ao próximo, o nosso Mestre?

MARIANA – "Amarás o teu próximo como a ti mesmo".
LILÁS – Sabe, Dorcas, Mariana tem me prestado grande ajuda.
DORCAS – (Alegre) Sim, eu sei. Mariana é também uma mensageira do amor.
LILÁS – (Pegando a costura) Eu gostaria de ajudá-la com as costuras. Poderei aprender?
DORCAS – Sim, mais tarde. Você terá uns dias para seu descanso. Precisa refazer-se de tudo o que sofreu.
LILÁS – (Constrangida) Mas eu poderei mesmo morar aqui?
DORCAS – Claro, irmã. A casa de um cristão nunca pertence a ele próprio: é de todos os que necessitam de um teto.
LILÁS – (Boca de cena) Um cristão! Eu gostaria de ser também uma cristã. Sinto agora em meu coração um enorme amor por esse Jesus de quem falam
DORCAS E MARIANA – Mas que alegria! (Abraçam Lilás.)
DORCAS – Louvado seja Deus! "Obrigada, Senhor, por mais esta que descobre o caminho da salvação. Oh! Que esta alegria seja eterna!". Amém.
MARIANA – (Olhando para o céu) Sim, Dorcas, Deus escreve lindos recados no céu!
DORCAS – (Para Lilás) Venha, vamos conhecer o nosso jardim. Depois tomaremos a ceia!
MARIANA – E as suas rosas, Dorcas?
DORCAS – Cada vez mais bonitas. Você Verá. (Saem.)

(As luzes se apagam.)

VOZ OCULTA – (Luz apagada) "Mas aconteceu naqueles dias que Dorcas ficou enferma e morreu. E, como Lida era perto de Jope, ouvindo os discípulos que Pedro estava ali, lhe mandaram dois varões, rogando-lhe que não demorasse em vir te com eles".

(Acendem-se as luzes e entram pela porta principal Pedro e Simão, o curtidor.

Dorcas e o Amor

Na casa de Dorcas, Tiago vem atender.)

TIAGO – Finalmente, Pedro. Estávamos à sua espera.
PEDRO – Então é mesmo verdade, Tiago? Dorcas morreu?
TIAGO – As mulheres estão lá em cima pranteando. Não se conformam com a sua morte.
SIMÃO – Ela sempre deu o exemplo de grande alegria e incansável amor ao próximo.
TIAGO – Dizem que ultimamente alimentava-se muito pouco e quase não repousava, cuidando dos pobres.
PEDRO – (Boca de cena) Que grande o amor de Dorcas! Da última vez em que a vi estava no mercado distribuindo arroz e roupas entre os pobres. Eles a rodeavam implorando, e ao mesmo tempo em que fazia as esmolas ela falava do amor de Jesus por todos eles.
SIMÃO – O seu sorriso era constante. Nunca a vi aborrecida.
TIAGO – E agora, Pedro, o que fazer?
PEDRO – Não sei, Tiago. Eu vinha dizendo a Simão que por mim nada posso fazer, a não ser confiar. Para Deus nada é impossível. Ele sim, fará o que é preciso neste momento.
SIMÃO – As viúvas e as criancinhas da aldeia estão desoladas – nada há que faça cessar suas lágrimas.
PEDRO – Ore, Tiago, e em seguida iremos até o quarto onde ela está.
TIAGO – (Ajoelhando-se com os demais) "Glorificado sejas, Deus Altíssimo. Nós agradecemos pela salvação em Cristo Jesus e te suplicamos que nos mostre o que é preciso fazer. Em nome de Jesus". Amém.
PEDRO – (Levantando-se) Vamos, irmãos! (Saem pela porta dos fundos.)
VOZ OCULTA – "E assim cumpriu-se a vontade de Deus".

(Pedro, chegando ao quarto, ordena que todos se retirem e depois fala:)

VOZ DE PEDRO – "Dorcas, levanta-te!".
VOZ OCULTA – "E ela abriu os olhos". (Pedro, dando a mão a Dorcas, chama os santos e as viúvas e a apresenta-lhes viva.)
(Música especial enquanto voltam todos à cena, alegremente, inclusive Dorcas.)
TODOS – (Sorridentes e de mãos dadas) Esta foi a história de Dorcas, uma serva cheia de amor. (Soltam-se as mãos.)
DORCAS – E hoje, quem pode ser chamado assim?
PEDRO – (Apontando para o público) Você, você, você... quantos estão redivivos a cada dia pelo amor?
LILÁS – A quantos temos ajudado nos últimos dias que passaram?
TIAGO – A quantos pretendemos ajudar nos próximos dias?
TODOS – Muitos precisam de pão, de agasalho, de amor.
SIMÃO – Muitos nunca ouviram falar do Senhor Jesus.
PEDRO – Você será lembrado algum dia pelo bem que tiver feito?
MARIANA – Do Norte ao Sul da nossa terra, o Brasil, e em todo o mundo, as necessidades crescem cada vez mais.
DORCAS – É hora agora, mais do que nunca, de seguir o exemplo de Dorcas.
TIAGO – Um exemplo tão bonito, que ficou registrado na Palavra de Deus.
TODOS – (Olhando sorrindo para o céu) Como um lindo recado escrito no céu!

Um Presente de Deus

(Para o Dia das crianças ou para a primavera)

PERSONAGENS: Rafael; Andréa; Luciana e Rodrigo (Todos com uniforme de colegial e segurando livros da escola).

SOL – Com roupa amarela (fazer colagens de papel laminado sobre o tecido), carregando nas mãos um "sol" feito em cartolina e papel laminado, preso numa vareta, para melhor segurar nas mãos.

ARCO-ÍRIS – Com roupa usada, clara, tendo costuradas por cima muitas tiras de papel crepom de várias cores; nos braços, mais tiras coloridas do mesmo papel cor-de-rosa, com roupa rosa-vivo; colar de flores no pescoço e flores nos cabelos.

NATUREZA – Com roupa verde (fazer colagem de folhas verdes feitas de papel crepom sobre a roupa); fita verde em torno da cabeça com as pontas caídas ao lado.

FLOR-DO-CAMPO – Com roupa branca; flores brancas nos cabelos.

CÉU – Com roupa azul (fazer colagem de pequenas "nuvens" em papel crepom branco sobre a roupa).

CENÁRIOS – Imagináveis.

MÚSICA – Criação do grupo.

Iluminação – A peça deverá ser encenada de preferência durante o dia.

(A cena começa com as crianças saindo da escola.)

ANDRÉA – Luciana, vamos até minha casa?

LUCIANA – Mais tarde; tenho de pedir à mamãe.

ANDRÉA – Está bem. Mas por que o seu irmão Rodrigo está triste?

RAFAEL – (Respondendo por Luciana) Ele está triste porque hoje é o Dia das crianças e ele não vai ganhar presente.
LUCIANA – Eu não ligo para presentes. Já sou crescida.
RAFAEL – Acho que o melhor presente nós já recebemos de Deus.
RODRIGO – Que presente, Rafael?
RAFAEL – Jesus Cristo. Foi a professora da Escola Dominical que ensinou.
RODRIGO – (Olhando para o céu e sorrindo) Você está certo. Mas pensando bem, temos um outro presente de Deus.
TODOS – Qual?
RODRIGO – A primavera. O Dia das crianças é na estação mais bonita do ano!
LUCIANA – É mesmo! Eu também gosto tanto da primavera!
ANDRÉA – Pois então vamos parar todos aqui um pouquinho e ficar olhando a primavera.
RAFAEL – Um bonito presente de Deus.

(Sentam-se todos no chão e ficam olhando as personagens que começarão a aparecer.)

SOL – Eu sou o grande amigo Sol: Uma das grandes maravilhas da criação de Deus. Trago a vida e a alegria para a terra. Os seres humanos ficam muito mais felizes quando eu brilho no céu. Ajudo as plantinhas a nascer; aqueço com o meu calor os animaizinhos... Mas sabem! – Nunca sou tão bonito quanto na primavera; aí o meu brilho é mesmo insuperável. Sou o Sol, rei da natureza! (Permanece em cena.)
CÉU – (Entrando) E eu sou o maior amigo do Sol. (Dá um abraço no Sol.) Sou o Céu! Vocês já olharam para mim na primavera? Azulzinho de dar gosto! As nuvens ficam branquinhas, como carneirinhos de algodão. As crianças podem ver tudo o que quiserem com os flocos de algodão que são as nuvens do céu. (Falando às crianças no chão e às outras da platéia.) Por favor, crianças, não deixem de olhar sempre para mim, e não

só na primavera, mas todos os dias do ano! (Continua em cena, de mãos dadas com o Sol.)

NATUREZA – (Entrando) Também sou amiga do Sol e do Céu. Sou a Natureza. Tenho em mim todo o verde das árvores, das campinas... Ajudo muito as criaturas da terra, sabem? Pena que as pessoas vivem esquecendo o quanto eu sou importante e todos os dias procuram novos meios para me destruir. Sou uma bela criação de Deus. Ele fala através de mim! Na primavera, fico mais linda do que nunca! O vento amigo entre as árvores até parece cantar a canção da eterna primavera. (Dá a mão aos demais.)

ARCO-ÍRIS – Sou o mágico Arco-íris! Mágico pela beleza das minhas cores. Gosto muito de aparecer na primavera... mas poucas pessoas me vêem. Só conseguem mesmo me enxergar os que vivem procurando as coisas bonitas que Deus criou na natureza! Adoro enfeitar a terra com a minha presença! A primavera gosta muito de mim... e quem não gosta da primavera, o bonito presente de Deus?

ROSA – Eu sou a Rosa, uma das flores mais bonitas da terra. As flores também são presentes de Deus. O mundo sem as flores seria feinho de dar dó... Na primavera eu fico entre os lírios, jasmins, cravos, sempre-vivas... Ai! são tantas as minhas amigas florzinhas! Eu ficaria muito feliz se em todas as casas, escolas e praças se fizessem jardins. Onde não há jardins a primavera quase não aparece... e é uma pena! Tomara que todo mundo, mas todo mundo mesmo, passe a gostar das flores, que é para a primavera ficar bem contente! (Mãos dadas aos demais.)

FLOR-DO-CAMPO – Olá, meus amiguinhos! Sou uma florzinha do campo, bem humilde, sabem? Ah! Mas nem por isso deixo de ser bonita! Aliás, é no campo que nascem as mais bonitas flores. Eu também fui convidada para a festa das crianças e da amiga primavera. Trago o meu branco de presente. O branco é a cor da paz e da alegria. A minha cor lembra Jesus de Nazaré quando ensinou aos homens com os lírios do campo: "Olhai os lírios do campo, eles não tecem e nem fiam e no

entanto nem mesmo Salomão pôde vestir-se como um deles".
(Dá a mão aos outros.)
Andréa – (Levantando-se do chão enquanto os outros amiguinhos fazem o mesmo) Oh! estou tão feliz! Acho que todas as crianças também estão, não é? Depois de tanta coisa maravilhosa, quem iria querer um brinquedo sem graça, desses comprados nas lojas?
Rodrigo – Isso mesmo! E agora atenção! (Dirige-se a toda a igreja) Vamos cantar o hino 24, da Harpa Cristã, e bem alegremente. Vamos louvar o Rei do universo!

Observações:

a) Enquanto a igreja canta, as personagens da natureza e os meninos saem distribuindo pequenas "egípcias" naturais ou flores feitas em crepom ou cartolina, para os assistentes.

b) Os componentes da natureza poderão ser feitos por adolescentes ou jovens, caso se encontre dificuldade para as crianças decorarem.

A Coragem de Etel

(Para o Dia das mães)

Introdução

"Que é, pois, o nosso país senão a nossa família em grande escala?" (Correspondência de Horace Walpole, vol. 8, pág. 13.) É sem dúvida alarmante o número de crianças abandonadas em nosso país, principalmente nos grandes centros, o que acarreta graves problemas sociais para a nossa população. O pior desses, certamente, é a marginalidade em que vivem os menores evadidos das diversas instituições mantidas pelo governo. Tais abrigos não oferecem, infelizmente, o que mais anseia o coração de uma criança: um lar de verdade, onde possa sentir-se protegida e ter assegurado da melhor maneira o seu futuro.

Os cristãos não podem, de forma alguma, ficar alheios a esta cruel realidade, que exige a participação de cada pessoa, cada família e cada igreja, no sentido de uma tentativa mais ampla para solucionar, ou pelo menos minorar um problema que se agrava a cada dia que passa, e que é uma grande ferida aberta em carne viva dentro da nossa sociedade.

Na peça "A Coragem de Etel", a igreja tem a oportunidade de trabalhar, através da arte, para a solução de uma problemática de terrível realidade.

E, se não for pedir muito, Senhor, que a história do pequeno Beto possa inspirar nas mamães a idéia de adotar em seu lar, para sempre, uma criança abandonada!".

PERSONAGENS: Etel, a mãe; José, o pai; Deise, filha (aproximadamente 18 anos); Beatriz, irmã de Deise (com 13 anos); Marcos, filho mais novo (com 12 anos); Beto, o menino sem lar (com 8 anos).

CENÁRIOS – Uma sala simples de residência, que, no segundo ato, apenas com a mudança de pequenos detalhes (como jarra e toalha), será transformada em igreja.
INDUMENTÁRIAS – Da época atual, porém Beto vestirá roupas bem pobres e surradas.
MÚSICA E ILUMINAÇÃO – Criação do grupo.
ACESSÓRIOS – Quatro rosas bem frescas e bonitas e uma grande quantidade de "egípcias" (aquelas florzinhas brancas) ou pequenas flores feitas em cartolina, que serão distribuídas por todas as mães ao final da peça. Serão necessários também: livros e cadernos, um avental ou pano de pratos, uma Bíblia, revistas da Escola Dominical e um sanduíche.

PRIMEIRO ATO

Ao começar a cena inicial, Deise está sentada na sala, escrevendo lições em um caderno. Em seguida entra a mãe (Etel) limpando as mãos em pano de pratos ou no avental.

ETEL – Deise, minha filha, poderia vir ajudar-me com a louça do almoço? (Deise fica quieta e não responde.) E então, querida, pode vir?
Deise – (Aborrecida) Ora, mamãe, como é que eu vou ajudar você se tenho todas estas lições para acabar hoje? As provas do vestibular são no próximo domingo. Por que não pede a Beatriz para ajudá-la?
ETEL – Beatriz ainda não chegou da escola e eu tenho de acabar logo o serviço porque preciso ir à reunião das senhoras hoje à tarde em nossa igreja. Mas... pode deixar, eu termino sozinha. As suas provas são mais importantes. (abraça a filha.) Mais do que ninguém quero ver minha filha formada um dia. (Sonha.) Imagine: Dra. Deise – Pediatra!
DEISE – (Arrependida) Pensando bem, mamãe, acho que vou ajudá-la. Terminaremos logo com a louça e ainda terei bastante tempo para estudar. Vamos, minha senhora, à louça!

ETEL – Mas eu já disse que... Bem, mas já que você quer mesmo ajudar... Olhe, eu lavo a louça e você limpa o fogão. (Saem as duas.)

(Entra José, que começa a ler a Bíblia. Em seguida entram Marcos e Beatriz, com os livros do colégio.)

BEATRIZ – O senhor chegou cedo, heim papai?
MARCOS – Que bom. Poderá ajudar-me naquelas equações. (Ri para Beatriz.)
BEATRIZ – Só o papai mesmo. Eu não sei como você pode detestar tanto a matemática, Marcos. Para mim é a matéria preferida.
MARCOS – Claro! Você quer ser doutora em física nuclear! Por que não escolhe uma profissão mais feminina?
BEATRIZ – Eu já disse que gosto de física e pronto! Você sim, é que precisa estudar mais. (Marcos vai responder, mas é interrompido pelo pai.)
JOSÉ – Vamos parar com essa discussão!
MARCOS – Desculpe, pai. O senhor vai pregar hoje na igreja?
JOSÉ – Não. Só no domingo, pela manhã. Falarei sobre as mães.
BEATRIZ – Ih, é mesmo! Domingo é o Dia das mães... E o pior é que já gastei toda a minha mesada. Não tenho um tostão para comprar o presente.
JOSÉ – O melhor presente que vocês podem dar à sua mãe é procurarem ser bons cristãos, obedientes e estudiosos.
MARCOS – Eu sei. Mas gostaria de dar a ela um bonito presente. Hoje mesmo vi uma blusa numa loja, e da cor que ela gosta.
JOSÉ – Pensaremos nisso depois. (Levanta-se.) Vocês já estudaram a lição da Escola Dominical? (Os dois parecem encabulados.) É... pelo jeito ainda não. Vamos, tragam as revistas. Aproveitem para falar com a Deise e sua mãe, que estão na cozinha, que venham também e estudaremos juntos. (Saem os dois.)

(José volta à leitura, e, em seguida, entram Deise, Etel, Marcos e Beatriz, com as revistas.)

ETEL – (Levantando-se) A lição de domingo é mesmo muito bonita. Eu gosto tanto desse texto!

DEISE – Marcos, leia o texto bíblico para nós.

MARCOS – (Abrindo a Bíblia, lê) "E foram ter com Jesus, sua mãe e seus irmãos, e não podiam aproximar-se dele, por causa da multidão. E foi-lhe dito: Estão lá fora tua mãe e teus irmãos que querem ver-te. Mas respondendo ele, disse-lhe: Minha mãe e meus irmãos são aqueles que ouvem a palavra de Deus e a praticam".

JOSÉ – Como você interpreta essas palavras de Jesus, Beatriz?

BEATRIZ – Acho que o Mestre quis dizer que a nossa família é muito mais numerosa do que a que temos entre as paredes de nossa casa.

DEISE – Também penso assim. Jesus considerava pai, mãe e irmãos a todos os seres humanos.

JOSÉ – Sim, e todos os que desejassem ouvir a Palavra de Deus seriam da sua família.

BEATRIZ – A professora da Escola Dominical pediu que eu e Marcos façamos um dueto no domingo. (Batem palmas à porta.)

ETEL – Deixem que eu vou ver quem é! Continuem estudando a lição! (Sai.)

JOSÉ – Marcos, leia o primeiro parágrafo da lição.

MARCOS – Bem, o autor diz o seguinte: "Naturalmente, os que ouviam a Jesus naquele dia estranharam que ele não ficasse preocupado com a mãe e os irmãos que...".

(Etel entra com um menino de roupas sujas e rasgadas e Marcos pára de ler. Todos olham para Etel, alarmados.)

ETEL – Bem, este é o Beto. Era ele quem estava batendo palmas. Diz que está com fome e nós vamos providenciar alguma coisa para ele, não é?

DEISE – Sim, mamãe, mas... ele poderá comer lá na varanda.
ETEL – Não, ele comerá aqui em nossa mesa, querida, enquanto aproveita para ouvir a lição da Escola Dominical. Sente-se, Beto. Vamos, Deise, preparar-lhe algo. Venha também, Beatriz. (Saem, e o menino permanece de pé, encabulado.)
JOSÉ – Vamos, sente-se, Beto! Nós estamos estudando a vida de Jesus!
BETO – (Senta-se e sorri) Ah! Eu gosto muito da vida de Jesus!
MARCOS – Você já foi a uma igreja?
BETO – Não.. quer dizer, fui quando era muito pequeno e não me lembro mais.
MARCOS – Você sabe ler?
BETO – Sim, um pouco. (Marcos mostra-lhe a revista e lêem em voz baixa. Logo voltam Deise, Beatriz, e Etel, que traz um sanduíche, que o menino devora rapidamente.)
JOSÉ – (Apreensivo) Beto, por que você saiu de casa?
Beto – (Limpando a garganta) Eu... eu não saí! Isto é, eu não tenho casa.
ETEL – (Abraçando Beto pelas costas da cadeira) Como não tem casa, meu filho?
BETO – É verdade. Minha mãe entregou-me, quando eu ainda era bebê, a um orfanato. Depois precisaram mudar-me para outro orfanato.
DEISE – E a sua mãe?
BETO – Não sei, ela nunca apareceu. (Triste.) Um dia uma das assistentes sociais me contou que ela morreu num acidente. (Etel parece profundamente emocionada.)
MARCOS – E você fugiu do orfanato?
BETO – (Sem graça) Sim, é verdade. Eu já não agüentava mais aquilo lá. Um orfanato não é assim (Olha à sua volta.) como uma casa de verdade.
BEATRIZ – Mas e agora, não acha que ficará pior?
BETO – (Desorientado) Não sei, não sei... (Anima-se.) Acho que o melhor é procurar um emprego. (Dirige-se a José) O

senhor precisa de um jardineiro? No orfanato eu cuidava do jardim, e muito bem!
ETEL – (Indecisa) Beto... (Decidida.) Você não gostaria de morar conosco?
BETO – (Muito feliz) Morar? Meu Deus! Isso é demais para mim! (Os familiares de Etel mostram-se surpreendidos e aborrecidos.)
DEISE – Mamãe, por favor, não seja tão precipitada!
José – (Com os braços em volta do ombro de Etel, na boca de cena.) Etel, não se deve levar pelo seu coração, como sempre! (Marcos e Beatriz discutem aborrecidos, em voz baixa, enquanto Beto fica só e desamparado em outro ângulo de cena.)
ETEL – Bem, meus queridos, poderíamos pedir ao Beto que esperasse um pouquinho no escritório do papai, enquanto conversamos. Marcos, meu filho, leve-o até lá, dê-lhe um bom livro para ler e volte para conversarmos, sim? (Marcos sai, aborrecido, em companhia de Beto.)
DEISE – Mas que idéia a sua, mamãe!
JOSÉ – Realmente, Etel, acho que você foi um pouco exagerada. (Marcos volta sozinho, emburrado.)
ETEL – E então, Marcos, deu-lhe o livro?
MARCOS – (Olhando para o chão) Dei sim. Um menino todo sujo... Deve ser cheio de maus hábitos.
BEATRIZ – Também acho. Imagine o que o pessoal do colégio dirá. (Imita)
– "Beatriz tem um irmão de criação fugido do orfanato".
ETEL – Eu sei que vocês têm razão de estarem preocupados. Naturalmente não é fácil aceitar um estranho em casa, como nosso irmão.
DEISE – Ainda bem que a senhora sabe.
ETEL – Mas creio que poderemos aceitá-lo em nossas orações, o que é mais importante.
JOSÉ – Você quer adotá-lo?
ETEL – Sim, e por que não?
JOSÉ – Mas e os termos legais?
ETEL – Ora, temos todos os requisitos exigidos, já estive lendo muito sobre o assunto.

MARCOS – Mas ele fugiu do orfanato, mamãe!
ETEL – (Abraçando Marcos) Meu filho, pense bem: você gostaria de morar para sempre num orfanato, sem ter uma família de verdade, assim como a nossa?
MARCOS – (Sem jeito) Não, claro que não.
ETEL – Pois então. Nenhuma criança gosta, meu querido. (Boca de cena.) O que eu mais gostaria na vida é que todas as mães, todas as famílias, percebessem a necessidade de adotar uma criança abandonada.
JOSÉ – Acho que você tem mesmo razão, Etel. Creio que não teríamos tantos problemas em nosso país. O amor e a família não geram revoltados.
DEISE – Mas já somos uma família numerosa, mamãe. Eu ainda não concordo com isso.
ETEL – Deise, minha filha, leia aí na Bíblia o texto de nossa lição de domingo. (Deise lê e em seguida todos se entreolham como se descobrissem algo.)
BEATRIZ – Mamãe, eu sinto o desejo de orar. (Ajoelha-se e todos fazem o mesmo). – "Senhor, nosso Deus, nós te pedimos que abençoe os nossos corações para que possamos aceitar o Beto como nosso irmão! Em nome de Jesus. Amém".
ETEL – Oh! que bom, minha Beatriz, que alegria! Você é mesmo "a que faz feliz". (Todos sorrindo abraçam Etel.)
MARCOS – (Alegre) Acho bom chamar o Beto para lhe darmos a notícia. Vou chamá-lo. (Sai.)
BEATRIZ – Interessante, eu já me sinto animada com a idéia de mais um irmão.
JOSÉ – Precisamos começar logo a ensinar-lhe a Palavra de Deus.
DEISE – Hoje à tarde poderíamos sair para comprar-lhe umas roupas, não é mamãe?
ETEL – (Rindo) Sem dúvida! Ele está mesmo precisando.

(Entram Marcos e Beto, que parece encabulado e triste.)

MARCOS – Mamãe, eu ainda não lhe disse nada.

ETEL – Pois diga, Marcos, ele ficará feliz, eu sei.
Marcos – Está bem, Beto, você vai morar conosco: será nosso irmão.
BETO – (Chorando de alegria) Meu Deus, que bom! Uma família! Uma família de verdade!...
ETEL – Ora, deixe de chorar! Agora você tem muitos motivos para ficar alegre.
JOSÉ – Bem, vamos mostrar a casa para o Beto. (Saem.)

Mudar para o 2º ato alguns detalhes do cenário, se a representação for à noite, sob luzes apagadas; e, se for pela manhã, poderá ser feita a mudança de ambiente na frente do púlpito, o que é certo em dramatizações modernas.

Segundo Ato

Narração (Poderá ser feita por um dos participantes da peça.)
Voz Oculta – "E durante aqueles dias, Beto foi aos poucos sendo integrado em seu novo lar, em seu primeiro lar. José e Etel procuraram o Setor de Adoções da Funabem e acertaram os papéis para a adoção, e isso no domingo, o Dia das mães...".

Entram todas as personagens pela porta principal da igreja. Os filhos, inclusive Beto, trazem rosas nas mãos. Sentam-se nos primeiros bancos e José, após orar, chega ao pequeno púlpito.

JOSÉ – Meus irmãos, hoje é o Dia das mães e acredito que todos estamos muito felizes. Vamos pedir à irmã Deise para orar.
DEISE – "Senhor, nós te louvamos pelo teu imenso amor para conosco. Nós te agradecemos pelos irmãos da nossa igreja e pela nossa família, uma continuidade da tua casa. E te bendizemos também pela bondosa mãe que nos deste. Obrigada por Beto, nosso mais novo irmão. Amém".

JOSÉ – Os irmãos devem ter estranhado que tenhamos um novo membro em nossa família, mas eu quero apresentá-lo. Venha cá, Beto. (Ele vem à frente.) Este é o meu mais novo filho. Nós o adotamos e já o amamos porque nos nasceu do coração.

BETO – Eu queria agradecer a todos, e, como hoje é o Dia das mães, quero entregar esta flor para a minha mamãe querida. (Etel levanta-se.) Obrigado, por tudo o que a senhora fez por mim. Tome. (Entrega-lhe a rosa.) Deus a abençoe, mamãe! (Os outros filhos se aproximam e levam suas flores, abraçando Etel, que sorri acanhada, mas alegre.)

ETEL – (Limpando uma lágrima com o dedo) Muito obrigada, meus filhos. Agora eu queria felicitar vocês, as mamães da nossa igreja, dizendo-lhes que tenho orado muito por todas, para que prossigam nesta missão tão abençoada que é a de ser mãe. Mas gostaria de dizer-lhes também que abram seus corações para as crianças carentes, que são tantas, espalhadas pela nossa cidade e por todo o Brasil. Deus colocará no coração de cada uma o que é preciso fazer e Ele mesmo fornecerá os meios. Que o nosso Deus abençoe a todas! E que a paz do Senhor seja com toda a igreja.

JOSÉ – Beto, agora vá lá dentro pegar aquela surpresa que trouxemos. (Beto sai e volta com ramos de "egípcias", repartindo em porções com a família, que em seguida sai distribuindo a todas as mamães da igreja, desejando-lhes felicidades.)

Ele Vive

(Para o domingo de Páscoa ou qualquer ocasião especial)

PERSONAGENS: Pedro; André; Filipe; Tiago; João; Maria, mãe de Tiago; Madalena e Joana.

NARRADOR – Poderá ser um dos componentes da peça ou pessoa que o grupo encontrar disponível para ajudar.
Cenários – O grupo poderá optar por cenário imaginável. Contudo, se houver possibilidade, usar uma rede de pesca estendida no espaço cênico, no alto, e complementar com bancos e acessórios bem rústicos, como vasilhames de barro.
INDUMENTÁRIAS – Túnicas compridas e mantos, como na época de Cristo. Ter o cuidado de não repetir cores e não usar tecidos novos e brilhantes. Todos estarão descalços para dar maior qualidade às personagens.
ILUMINAÇÃO – Escolher alguém com algum conhecimento da arte de iluminar.
MÚSICA – O grupo poderá escolher e adaptar as músicas que achar convenientes.

NARRADOR – (Com a igreja às escuras, fundo musical dramático, de preferência um clássico) "E, quando chegaram ao lugar chamado Gólgota, ou a Caveira, ali o crucificaram e aos malfeitores, um à direita e outro à esquerda. E dizia Jesus: Pai, perdoa-lhes, porque não sabem o que fazem. E todo o povo os olhava e também os príncipes que zombavam dele, dizendo: Aos outros salvou... salve-se a si mesmo, se este é o Cristo, o escolhido de Deus! E acima da cruz colocaram um título escrito em letras gregas, romanas e hebraicas, dizendo: Este É o Rei dos Judeus. E era já quase a hora sexta, e houve trevas em toda a terra até a hora nona. Escurecendo-se o sol, rasgou-se ao meio o véu do templo. E, clamando Jesus em alta voz, disse: Pai, nas tuas mãos entrego o meu espírito. E, havendo dito isto, expirou. E o centurião, vendo o que tinha acontecido, deu glória a Deus, dizendo: Na verdade, este homem era justo!". (Pausa.)

(Em seguida acender uma luz fraca, dando idéia de madrugada.)

NARRADOR – (Continuando) "E no domingo, após a crucificação, algumas mulheres das que seguiam a Jesus saíram para ir ao sepulcro".

(As três mulheres entram pela porta dos fundos, indo em direção à porta principal, tristes, chorando baixinho e levando, cada uma, um jarro de barro. Depois que elas saem, acendem-se todas as luzes e entram em cena os discípulos, quietos e tristes. Sentam-se. Pedro, porém, continua andando de um lado para o outro, muito ansioso.)

ANDRÉ – (Percebendo a inquietação de Pedro) Pedro, bom amigo, por que não pára de andar de um lado para outro? Procure descansar um pouco.
PEDRO – Descansar?... Que tolice, André, que grande tolice! Quem de nós tem conseguido descansar nas últimas horas? Mesmos quando estamos parados, a nossa cabeça ferve, num torvelinho louco!
JOÃO – André tem razão. Temos mesmo de nos esforçar para buscarmos a calma. Quanto mais estivermos ansiosos, tanto pior.
FILIPE – (Distraído, o olhar distante, sorri tristemente) Em que situação verdadeiramente triste nós nos encontramos... Abandonamos tudo: a casa, a família que amávamos, nossas profissões...
TIAGO – (Surpreso) Não fale assim Filipe! Se não o conhecesse tão bem, pensaria que está arrependido!
FILIPE – (Levantando-se, coloca amigavelmente a mão no

ombro de Tiago) Claro que não, bom amigo. Eu não me arrependeria nunca de ter abandonado tudo para seguir o Mestre. (Parece confuso.) Apenas... não compreendo ainda a nossa situação. Talvez... talvez eu seja mesmo um fraco, por não conseguir suportar a morte de Jesus.

PEDRO – Filipe fala por nós, pois todos sentimos o mesmo. Na verdade estamos acabados! A morte do Mestre foi algo terrível, por mais que estivéssemos preparados. Afinal de contas, somos feitos de carne e ossos, como todos os homens.

ANDRÉ – (Exaltado) Sim, de carne e ossos. Mas e a nossa experiência com Jesus, e tudo o que vimos e sentimos juntos?!... Meu Deus! Isso não teria sido válido!?...

Filipe – Sim, a nossa experiência foi muito intensa e marcou de modo profundo toda a nossa existência, mas não nos tornou insensíveis à dor da separação. Pensando bem, meus irmãos, não estávamos preparados. Fracassamos, embora Ele tantas vezes nos quisesse preparar para o momento final.

TIAGO – Alegro-me porque muito de bom nos restou. A nossa determinação de continuar trabalhando na causa para que Ele nos chamou; a nossa união, tudo fará com que, embora entristecidos, estejamos sempre juntos, como Ele nos ensinava.

PEDRO – (Parecendo zangado) Mas você bem sabe que isso não substitui a falta do Mestre! (Quase desesperado.) Até quando procurarei em vão o seu rosto no meio de nós? Até quando poderei suportar esta enorme dor de não ouvir a sua voz? Digam-me, por favor, até quando?

JOÃO – (Tocando o ombro de Pedro) Tenha calma, Pedro, calma! E tenha fé. Ele disse que voltaria; não está mais lembrado? Você está perdendo a esperança, meu irmão?

TIAGO – João está certo. Não podemos perder o ânimo, a fé! Ele disse que não nos deixaria sós, por isso, de nada adianta desesperar. Estamos cheios de dor e isto nos entorpece a alma.

FILIPE – Não esquecerei nunca o modo cruel como o trataram. Como se Ele fosse um criminoso! E nós nada pudemos fazer para evitar... meu Deus!

JOÃO – Mas evitar como e por quê? Todos sabíamos, há muito tempo, que tais fatos aconteceriam. Agora resta-nos esperar e crer nas promessas. Crer, ouviram? Acho que não é tão difícil assim, embora este seja o nosso momento mais difícil.

PEDRO – (Mudando de assunto como para aliviar a tensão) As mulheres estiveram aqui, assim que o dia começava a nascer. Elas trouxeram algum alimento, que guardei. Se quiserem, temos pão.

FILIPE – Eu não desejo nenhum alimento agora. Pedro, você deveria ter avisado que elas não fossem muito longe: correm perigo. Agora estamos sendo mais vigiados do que nunca.

TIAGO – Sim, você está certo, Filipe. Eu avisei minha mãe. Ela estava em companhia de Joana e Madalena. Não creio que se afastem demasiado, apesar de...

ANDRÉ – (Cortando) Apesar de quê, Tiago?

TIAGO – Não sei... tenho um pressentimento. Minha mãe é uma mulher cheia de coragem, e, por isso, não raro torna-se cheia de um espírito audacioso. É o que me preocupa.

JOÃO – Eu também temo por elas, pelas outras e por todos nós, mas não nego que me orgulhe da nossa audácia. Afinal de contas, Ele nos ensinou a sermos fortes e cheios de audácia. (Pequena pausa, enquanto conversam em voz inaudível.)

MARIA – (Entrando a correr pela porta principal, passa pela platéia gritando, quase sufocada) Tiago! Pedro! Meus filhos, que alegria!

TIAGO – (Assustado) Mãe, o que foi? Onde estão as outras?

MARIA – Já vêm as duas. É que eu morria de ansiedade por contar-lhes tudo e corri. Logo elas estarão aqui! Oh! Meu filho, que alegria!

PEDRO – Do que está falando, Maria? Sente-se! Acalme-se!

MARIA – (Sem sentar-se) Pedro, meu bom amigo, meu irmão (toma as mãos de Pedro), nós fomos ao sepulcro e Ele... não estava lá.

FILIPE – (Sufocado de emoção) Como não estava, Maria?

MARIA – Sim, sim, não estava, Filipe! O nosso Mestre... Ele ressuscitou! Ele vive! Vive! Ouviram?!

PEDRO – (Mostrando-se agitado) Meu Deus, isto é maravilhoso! Vou até lá, agora.
ANDRÉ – Tenha cuidado, Pedro, poderão prender você. (Segura-o.)
PEDRO – (Soltando-se e rindo como louco) Deixe-me André, eu tenho de ir.
TIAGO – Irei com você, meu irmão. Vamos.
JOÃO – (Dirigindo-se a Maria, após a saída dos dois) É mesmo verdade, Maria? Não estará você demasiado nervosa?
MADALENA – (Entrando, acompanhada de Joana) Não, João, ela não está doente. Todas vimos. A imensa pedra do sepulcro estava removida e Ele já não estava lá. Não estava! (Abraça Maria.) Meu Deus, que grande felicidade!
JOANA – (Como se sonhasse) E os anjos! Sim, foram anjos... Eles vestiam roupas que brilhavam mais que o sol, mais que mil relâmpagos! Resplandeciam as cores das vestes quando falavam conosco!
ANDRÉ – E o que disseram os anjos? Contem depressa!
MADALENA – Disseram-nos que não buscássemos entre os mortos aquEle que vive; que o nosso Mestre havia ressuscitado como nos anunciou que faria.
FILIPE – Por que foram ao sepulcro?
JOANA – Fomos levar aromas para ungir o seu corpo. (Rindo.) Mas nada usamos: não foi necessário: Ele não estava entre os mortos. (As outras a abraçam.)
MARIA – Realmente tudo isto me parece um sonho. Quase não creio que eu mesma tenha visto. Eu, uma mortal! Não, eu não sou digna de tamanha graça.
MADALENA – Eu também pensei que sonhasse. Meu coração ficou cheio de temor quando vi os anjos, mas depois que eles anunciaram o que tinha acontecido fui possuída de uma grande alegria, uma imensa e doce alegria!
JOANA – Uma alegria sem igual, como jamais sentimos em toda a nossa vida. Não estávamos preparados para a morte do Mestre e nem para a alegria de sua volta. Pensei que fosse enlouquecer, tamanha a felicidade que inundou a minha alma.

FILIPE – Sinto-se verdadeiramente envergonhado dos meus sentimentos de ainda há pouco. Como pude ser tão medíocre?! Eu que sempre pensei poder ser forte em qualquer situação; como estive abatido, meu Deus!

MARIA – (Dirigindo-se a Filipe, suave, como a mãe de todos eles) Todos nós estivemos abatidos, meu irmão. Estávamos entristecidos como o próprio tempo, como a natureza, quando o Senhor morreu. Você viu? Parecia que toda a terra chorava conosco. E agora... que grande bênção: todos os elementos da natureza devem alegrar-se também, neste momento que se tornará eterno. (Dirigindo-se à natureza, à sua volta.) Alegrem-se rios, florestas, montanhas, mares! Oh! que cantem todos os pássaros, todas as criaturas! Que todas as vozes louvem a Cristo, que ressurgiu dos mortos!

PEDRO – (Entrando a correr pela porta principal, junto com Tiago) Eu vi!!! Elas têm razão. (No centro de cena.) Quando entramos no sepulcro, lá estavam apenas os lençóis que cobriam o Mestre. E depois, imaginem, meus irmãos! – quando Madalena estava chorando junto ao sepulcro encontrou um homem que pensou ser o jardineiro. Mas quando Ele a olhou... era Jesus, Ele mesmo, o Messias! Ela contou tudo!

MADALENA – (Entrando a correr) Eu o vi! Ele vive! É glorioso!

TIAGO – O lugar estava impregnado de um mistério que parecia uma canção a nos iluminar a alma. Parece incrível! Quase chegamos a duvidar de que isto acontecesse; estivemos a ponto de desesperar, e agora... finalmente!

JOANA – (Aproximando-se da platéia) Tenho vontade de correr agora pelo mundo afora e anunciar a toda gente: "Creiam! – Jesus ressuscitou!".

MADALENA – Que pena que sejamos tão poucos e limitados. Não temos transportes, nem dinheiro, nem nada. Somos mesmo muito limitados.

MARIA – (Aproximando-se de Madalena) Somos poucos e temos muitas dificuldades a vencer, mas algo me diz que den-

tro em breve seremos muitos. Muitos... por todo o mundo a falar do meigo Nazareno.
FILIPE – Concordo contigo, boa Maria. A mim também esta certeza enche de esperança e alegria.
ANDRÉ – Vida nova, então! Nada de desânimo! O Mestre vive!
JOÃO – Está vivo como prometeu! Oremos, meus irmãos! Vamos agradecer por este momento.
MARIA – (Depois de todos estarem de joelhos:) "Deus maravilhoso, nós te agradecemos por esta alegria imensa que nos invade o coração. Teu Filho Jesus é vivo, e reina! Não estamos mais sozinhos, nem cansados, nem cheios de medo. Estamos seguros e confiantes. E agora, Senhor, usa a cada um de nós, segundo a tua vontade. Que possamos ser verdadeiramente merecedores da escolha que o Mestre Jesus fez de cada um! Que sejamos instrumentos do teu querer e que, através de nós mesmos e de nossas vidas, o mundo tenha conhecimento da verdade eterna, da salvação que só Jesus oferece! Que todos saibam que Ele vive, para sempre. Amém e amém". (Param como num quadro, estático. Em seguida, levantam-se lentamente e fazem um círculo. Tiram então os mantos, ficando apenas com as túnicas e, unindo ao alto as mãos em que estão os mantos, jogam-nos ao chão. Depois viram-se todos de costas para a platéia e, rapidamente, viram outra vez de frente, espalhando-se no espaço cênico.)
TODOS – A história que contamos traz um desafio muito grande para os dias de hoje.
JOÃO E JOANA – Para os dias de hoje, tão cheios de conflito e medo.
ANDRÉ – Mundo angustiado e apressado. Correr tanto por quê e para onde?
TODOS – (Agitados como no centro da cidade, andando apressados de um lado para outro) Pressa: é preciso correr para o ônibus, para o trabalho, para o documento importante! Ninguém tem tempo! Vai começar o programa, corre! Não dá tempo! (Param imediatamente, estáticos, parecendo indecisos.)

DOIS A DOIS – (Movimentando-se) É preciso imitar, aparecer, questionar. É necessário transpor, melhorar... melhorar... (Apontam-se uns aos outros) Pobre vítima da grande máquina!
MARIA – (Imitando propaganda) "Este é o melhor refrigerante, você bebe sem parar!".
JOANA – (Dando passos à frente) "Não percam! Grande liquidação. É hora de mudar a decoração!".
Vozes masculinas – (Esnobes) "Homens inteligentes fumam, bebem, conquistam, vencem!".
VOZES FEMININAS – (Sorriso forçado) "As mulheres mais lindas do mundo usam o xampu das estrelas!...".
FILIPE – (Enquanto os demais imitam o som prefixo do jornal da TV) E atenção para mais esta notícia do seu jornal das oito: "Há perigo de uma intervenção militar ainda este ano na Europa. A União Soviética deseja a Terceira Guerra Mundial".
TODOS – Loucura! Caos! Mecanização! – correr, competir, alienação.
VOZES FEMININAS – Pobre humanidade, que complica tanto, apesar de possuir tão perto as grandes lições.
MADALENA – Ah! Gente do meu tempo! – passageiros de ônibus,
   trabalhadores,
   donas de casa, vendedores...
   ricos proprietários
   e pobre homem que ganha o pão
   nas grandes construções,
   escavando o chão.
   Tanta gente, tantos planos,
   desenganos...
   Que solidão!
   Neuroses,
   angústias, insatisfações!
   Joana – Pobre gente, a minha gente,
   que o tranqüilizante não tranqüiliza,
   mas escraviza!
   Pára um pouco nessa tua pressa!

Pára e pensa.
Escuta e aceita!
Ouve a voz suave de Cristo,
sempre calma, a repetir:
"Nada de inquietação:
olhai os lírios do campo,
e as avezinhas do céu.
Vinde a mim, cansados
e oprimidos, e eu vos aliviarei.
Eu sou a verdade e a luz do mundo,
quem me segue, não anda em trevas,
mas vive mais,
e vive sempre;
eternamente vive!".

PEDRO – Hoje em dia, o homem busca a solução para os seus problemas dos mais diferentes modos: remédios, fugas, filosofias e até "simpatia" para curar o mau-olhado.

TIAGO – Tanta coisa! Quanta inutilidade! Mas o caminho é um só, e a verdade é única – JESUS.

TODOS – (Alegremente abraçados) A solução está em Cristo Jesus. O Médico; o amigo de todas as horas; o Cristo vivo; sim, Ele vive! (Alto.) Ele vive!

Saem pela porta principal, cantando uma música especial, alegre; enquanto caminham e cantam entre o público, vão apertando as mãos das pessoas, cumprimentando, principalmente os visitantes.

Uma Luz na Estrada

(Para evangelismo)

PERSONAGENS: Saulo; Hermas; Angarah; Judas e Annanias.
INDUMENTÁRIA – Túnicas compridas e mantos. Observar que os cristãos deverão vestir-se mais pobremente.
Cenário – Uma rua ou praça no primeiro ato. No segundo ato uma casa pobre. Nesta casa deverá existir uma esteira no chão.
Iluminação e efeitos musicais – À escolha do grupo.

Primeiro Ato

HERMAS – (Entrando a gritar) Saulo, Saulo! (Pára.) Será que ainda não chegou?
SAULO – (Entrando por trás) Finalmente, Hermas. Pensei que não chegasses mais. Ouvi o alarido na cidade. Como foi? Conseguiram?
HERMAS – (Quase sufocado de cansaço) Sim. Veja! São as roupas dele, de Estêvão. Foi fácil o trabalho depois do seu consentimento formal, Saulo. (Deposita cerimonialmente aos pés de Saulo as roupas rasgadas e sujas de sangue, de Estêvão.)
SAULO – (Rindo) Muito bem! Menos um cristão. Estêvão já estava conseguindo deixar-me irritado com seus falatórios pela cidade. E como foi?
HERMAS – Apedrejado. Conseguimos "testemunhas" de que ele vivia proferindo palavras blasfemas contra a Lei de Moisés... e até mesmo contra Deus.
SAULO – Eu sabia, vocês estão mesmo melhores do que eu esperava! Essa gente não pode mesmo ficar impune. Seguem

as idéias de um certo Jesus e parecem enlouquecidos. Se não tomarmos seríssimas providências, contaminarão em breve toda Jerusalém... e quem sabe o mundo inteiro com as tais idéias de privilegiados à espera da vida eterna!

HERMAS – E agora? Como continuaremos a agir, Saulo? Os que seguem as palavras dos cristãos são gente astuciosa e já estão dispersos por muitos lugares.

SAULO – (Batendo amigavelmente nas costas de Hermas) Sei como agir, amigo. Não se preocupe. Apesar do tumulto que irão criar agora com a morte de Estêvão, tenho planos que não poderão falhar. Nós e nossos aliados entraremos em todas as casas, vasculharemos tudo... até as sinagogas, à cata de cristãos.

ANGARAH – (Entrando) Então já soube, Hermas? (Vê Saulo e fica intimidada.) Vim do lado da cidade. Vocês precisavam ver como está tudo por lá. As mulheres choram como enlouquecidas pela dor.

HERMAS – Você deveria estar em casa, Angarah. Não é certo para uma mulher ficar envolvida com os assuntos que não lhe dizem respeito.

ANGARAH – (Nervosa) Mas eu temo por essa gente, Hermas. Fala-se de um certo Filipe que em Samaria chama a atenção do povo para o que diz, e também para os prodígios que faz: os paralíticos andam, os cegos vêem e até expulsa os maus espíritos em nome do Cristo.

SAULO – (Furioso) Ora não seja tola, Angarah! Como pode acreditar nesses absurdos? Você está sendo influenciada pelo que ouve dizer. Os cristãos não passam de uns esfomeados, e a fome é que os faz delirar. (Dirigindo-se a Hermas.) Hermas, cuida de acalmar a sua mulher! Quanto a mim, saibam que não me faltarão condições para levar adiante os meus planos. Vocês verão.

HERMAS – Sim, Saulo, Angarah sabe que não deve envolver-se com os cristãos.

ANGARAH – Não pensem que se trata apenas de nervosismo meu. Na verdade os cristãos não merecem esta perseguição

injusta. Surpreendo-me que você, Hermas, esteja aliado a Saulo. (Enérgica.) Cuidado! Tanto ódio não pode trazer boa coisa.
SAULO – (Fingindo que ignora Angarah.) Iremos a Damasco. Dizem que existem muitos deles espalhados por lá. Algo me diz que será em Damasco a nossa melhor atuação. Gosto imensamente daquela cidade: é suntuosíssima, cercada de pomares e jardins. Tem grandes entradas para o comércio e talvez a sua maior beleza deva-se ao fato de ser tão antiga – desde o tempo de Abraão. É adornada por imensas colunas coríntias e as portas em arco são construídas com belíssimas pedras lavradas. (Irado.) Ah! Essa gente não pode sujar Damasco com suas ridículas idéias!
HERMAS – E como será com as autoridades?
SAULO – O governador de Damasco, obedecendo ao rei Aretas, é particularmente favorável aos judeus e eu já tenho em meu poder importantes cartas dos príncipes dos sacerdotes para as sinagogas de Damasco. Sei como agir, Hermas. O seu trabalho agora será informar aos homens como devem continuar o "trabalho" aqui em Jerusalém, após a nossa partida. Que ninguém seja poupado!
ANGARAH – Hermas, por favor, saia desses planos infelizes. Deus não pode aprovar o que fazem.
HERMAS – Acalme-se! Sabemos o que fazer, não tenha medo.
SAULO – Partiremos depois de amanhã. Temos pouco tempo, pois precisamos agir rapidamente. Peça a Laurus que prepare oito dos nossos melhores cavalos. Providencie tudo o que possamos precisar para a viagem.
ANGARAH – Você tem muita coragem, Saulo. Mas não creio que os seus planos sejam bem-sucedidos. Saiba que Deus está com os cristãos.
HERMAS – (Procurando desconversar, envergonhado) Saulo, fale de Tarso, a sua cidade natal.
SAULO – (Orgulhoso, na boca de cena) Tarso é o centro intelectual do Oriente. Existe ali a famosa escola onde predomina a filosofia estóica. Os estóicos são discípulos de Sócrates, e procuram viver como ele vivia; acima de tudo, corajosamen-

te. Tarso é uma cidade muito importante, pois suas escolas rivalizam com as de Atenas e Alexandria. Existem ali também verdadeiras relíquias da antigüidade. Comecei ali a aprender o meu ofício de fazedor de tendas; depois, a minha família resolveu mandar-me para cá, onde terminei o meu aprendizado e fixei-me melhor nas tradições farisaicas. (Voltando-se para Hermas.) Mas não nos podemos deter em nada, Hermas, nem mesmo em recordações, para que não atrapalhem os nossos planos... os nossos magníficos planos!

(Quadro estático: Saulo como se caminhasse decididamente; Hermas como a acompanhá-lo, mas olhando para Angarah, que parece angustiada. Em seguida apagam-se todas as luzes e as personagens saem. Então, sob fundo musical dramático, faz-se a narração.)

NARRADOR – "E Saulo, respirando ameaças e mortes contra os discípulos do Senhor, parte com seus companheiros para Damasco. Mas os caminhos de Deus não são os caminhos dos homens e nem os seus pensamentos são os nossos pensamentos. E em Damasco, na casa de Judas, o discípulo...".

Segundo Ato

(Acendem-se as luzes. As personagens encontram-se na casa de Judas.)

JUDAS – Ana! onde estás, mulher? Estou ouvindo vozes... Algo de anormal está acontecendo na cidade.

ANA – (Entrando com um jarro de barro) Calma, homem! Eu não ouvi nada. Deve ser impressão tua. Andas muito preocupado com as perseguições que sofrem os nossos irmãos em Jerusalém.

JUDAS – Não, não é isso. Eu realmente ouvi vozes assustadas na praça.

ANA – Não deve ser nada, e além do mais, a esta hora do dia? O sol está claro e todos devem estar trabalhando e não criando tumultos no meio da rua.

JUDAS – Você tem razão; talvez eu esteja mesmo excessivamente preocupado. (Levanta-se, nervoso.) Tenho recebido notícias terríveis dos que estão em Jerusalém. Não sei como podem perseguir tanto aos que só desejam o bem da humanidade! Até mulheres e crianças são brutalmente assassinadas. E Saulo de Tarso está envolvido nisso tudo. (Batem à porta.)

ANA – Pode deixar, eu vou atender. O que será agora? (Abre a porta.)

HERMAS – (Ajudando a amparar Saulo, que está sujo e com as roupas rasgadas.) Por favor, minha boa gente, precisamos de ajuda. O nosso amigo está muito mal.

SAULO – Hermas, onde estamos? Não enxergo nada. Estou cego; cego para sempre! (Cai ao chão e suplica:) Que os céus tenham misericórdia de mim!

JUDAS – (Ajudando Hermas a levantá-lo) Mas o que houve? O que podemos fazer para ajudá-lo?

ANA – Deitem-no ali, por favor. (Mostra a esteira no chão.)

HERMAS – (Depois que Saulo deita-se na esteira) Foi algo terrível, senhor! Mas eu não gostaria de lembrar, pois pode fazer mal ao meu amigo.

SAULO – (Levantando-se aos tropeções) Não, Hermas! É maravilhoso recordar! Eu... meu nome é Saulo de Tarso.

ANA e JUDAS – (Surpresos) Saulo de Tarso?!

JUDAS – O perseguidor dos cristãos? Mas como pode ser isto?

SAULO – Sim, eu vinha a Damasco com as mais terríveis idéias.

HERMAS – Queríamos acabar com os cristãos da cidade.

ANA – Pois sabia que somos cristãos. Vimos as maravilhas do Filho de Deus!

SAULO – Não, não é possível! Por que vim parar exatamente nesta casa? Eu não posso entender os planos de Deus.

HERMAS – Quando estávamos a caminho desta cidade, Saulo teve uma visão de luz fortíssima que o cegou.

SAULO – E uma voz que dizia: "Saulo! Saulo! Por que me persegues? Eu sou Jesus, a quem tu persegues". Nunca esquecerei aquela luz e aquela voz... Meu Deus, como esquecer?! Como...
HERMAS – Depois a voz mandou que entrássemos na cidade, onde seria dito a Saulo o que deveria fazer.
SAULO – (Chorando) "Senhor, Senhor, o que queres que eu faça?".
JUDAS – Acalme-se, meu amigo. Ana, traga um pouco de pão, ele deve ter fome também. Já íamos almoçar.
SAULO – Não, eu não quero comer, não posso. Algo de estranho e magnífico está acontecendo dentro de mim!

(Quadro estático. Saulo olhando, sem ver, para o céu. Os demais preocupados. Apagam-se todas as luzes.)

NARRADOR – (Sob luzes apagadas) "E Saulo esteve três dias sem ver, não comendo e nem bebendo... E havia em Damasco um certo discípulo chamado Ananias, e disse-lhe o Senhor: Ananias, levanta-te e vai à rua chamada Direita e pergunta em casa de Judas por um homem de Tarso, chamado Saulo, e põe sobre ele a tua mão, para que torne a ver!".

(Acendem-se todas as luzes. Entram em cena, Judas, Ana e Saulo.)

JUDAS – Não pode mais continuar assim, Saulo. Irá definhando aos poucos. Precisa alimentar-se.
ANA – Sim, tem estado todo o tempo em oração e jejum. Mas precisa lembrar-se de sua própria vida.
SAULO – Minha boa gente, gente que eu perseguia! Como pude ser tão estúpido?!
ANANIAS – (Falando de fora) É um cristão. Abram, por favor!
ANA – Quem será?
SAULO – É Ananias.

JUDAS – (Dirigindo-se a Saulo) Conhece-o?
SAULO – Não, mas o Senhor me revelou em visão que ele viria.
ANANIAS – (Entrando) A paz seja com os irmãos. Este é Saulo?
SAULO – Sou eu mesmo, meu irmão. Deus seja louvado!
ANANIAS – Irmão Saulo, o Senhor Jesus, que te apareceu no caminho, me enviou para que tornes a ver e sejas cheio do Espírito Santo para falar as boas novas dos cristãos. (Ananias coloca a mão sobre a cabeça de Saulo, que se ergue e começa imediatamente a ver, e, rindo, e cheio de felicidade, abraça a todos.)
SAULO – (Muito alegre) Louvado sejas, Jesus maravilhoso! Glorificado e exaltado seja o teu nome! Encontro-me agora em tuas mãos para que disponhas da minha vida como achares melhor. O teu grande amor penetrou a minha alma; esse amor que eu tanto demorei a compreender! Usa-me como teu instrumento, Jesus! Sei que sou indigno da tua presença em mim, mas estou disponível para ir aonde quer que me mandares. Obrigado, Senhor. Amém. (Todos repetem: "Amém".)

(Em estático: Saulo de joelhos, e Ananias em atitude de louvor, juntamente com Judas e Ana. Depois entram Hermas e Angarah, sorrindo. Levantam-se todos alegremente.)

ANGARAH – E como Jesus falou a você, Ananias?
ANANIAS – Ele me disse: "Vai, Ananias, porque Saulo é para mim um vaso escolhido para levar o meu nome diante dos gentios, e dos reis e dos filhos de Israel!".
ANGARAH – E Saulo de Tarso, agora o apóstolo Paulo, transforma-se no maior dos pregadores da Palavra de Deus.
HERMAS – Todos os que o ouviam estavam atônitos e diziam: "Não é este o que em Jerusalém perseguia os que invocavam o nome de Jesus?".
JUDAS – O perseguidor torna-se perseguido, por causa do Evangelho, e o seu amor ao Mestre o levou a muitos lugares.

ANA – E em Atenas, um dos muitos lugares por onde passou, anunciando a Cristo, discursou.

SAULO – Sim, eu disse: "Varões atenienses, em tudo vos vejo um tanto supersticiosos. Porque passando eu e vendo os vossos santuários, achei também um altar em que estava escrito: AO DEUS DESCONHECIDO. Esse, pois, que vós honrais não o conhecendo, é o que vos anuncio. O Deus que fez o mundo e tudo o que nele há, sendo Senhor do céu e da terra, não habita em templos feitos por mãos humanas. E Deus anuncia a todos, em todos os lugares, que se arrependam, porque tem determinado um dia em que há de julgar o mundo por meio de um varão, e disso deu certeza a todos ressuscitando-o dos mortos. Falo-vos de Jesus Cristo, o Filho de Deus!".

TODOS – E naquele tempo, e ainda hoje, Jesus diz a todos (apontam para o público): "Se alguém quer vir após mim, negue-se a si mesmo, tome cada dia a sua cruz, e siga-me".

O Dia Sexto

(Para evangelismo)

PERSONAGENS: Jane; Sara; Poliana; Rafael; Tiago e Jonas.

Observação: As personagens terão nomes, somente para que sejam identificadas durante os ensaios, uma vez que são apenas criaturas, em diversas épocas, sem personalidade e história definida. Assim, os diversos papéis serão feitos em técnica de coringa. (Consulte o Glossário.)
Cenários – Imagináveis. Nas cenas iniciais, as personagens estarão em lugares belíssimos, de natureza exuberante.
Indumentárias – Todos de túnicas brancas compridas, e descalços. No espaço cênico serão colocados, antes de começar a peça, várias fitas de cores vivas (papel crepom), que usarão depois do "pecado", na cintura, nos braços, na cabeça.
Acessórios – Um pão redondo, e grande quantidade de margaridinhas brancas, que serão oferecidas ao público no final.
Iluminação – Ver instruções no texto.
Música – O grupo poderá adicionar outras às que sugerimos.

(A peça deve ser iniciada com todas as luzes apagadas.)

NARRADOR – "E disse Deus: Façamos o homem à nossa imagem, conforme a nossa semelhança; e domine sobre os peixes do mar e sobre as aves do céu, e sobre o gado, e sobre toda a terra, e sobre todo o réptil que se move sobre a terra. E criou Deus o homem à sua imagem; macho e fêmea os criou. E Deus os abençoou, e Deus lhes disse: Frutificai, multiplicai-vos e enchei a terra, e sujeitai-a, e dominai sobre os peixes do mar e sobre as aves do céu. E todo animal da terra, toda árvore que dá semente e todo fruto da árvore ser-vos-á para mantimento. E viu Deus tudo quanto tinha feito e eis que era muito bom. E foi a tarde e a manhã o dia sexto".

(Os atores entram em cena com as luzes ainda apagadas e colocam-se abaixados, de lado, como em posição fetal. Depois de acesas as luzes começam a levantar-se aos poucos, lentamente, como se estivessem nascendo. De pé, passam a sentir o corpo, pernas, mãos, braços, rosto e, por último, os olhos, verificando a faculdade de ver. Em seguida, meio assustados, começam a distinguir a bela paisagem que os cerca: montanhas, campos, árvores frondosas, rios... Descobrindo-se depois uns aos outros, expressam interrogação no rosto.)

RAFAEL – (Tocando o braço de Jonas) Você! Quem é você? Por que estamos todos aqui?

JONAS – Não sei. Sei apenas que existo.

SARA – (Muito feliz, observa as mãos) Mãos... eu tenho mãos! Posso tocá-las, posso dar "Bom-dia!". (Com a mão direita espalmada ao alto, cumprimenta os outros em cena.) Bom-dia!

JANE – (Repetindo) Bom-dia! É bom falar-lhes assim, agora que estamos todos aqui.

TIAGO – (Olhando à sua volta, e descobrindo) Este é o nosso primeiro dia – o dia primeiro da criação dos homens.

POLIANA – Mas terá havido outros dias antes deste?

RAFAEL – (Rindo) Ora, mas certamente. Isso é o que se chama tempo. Algo dentro de mim fala da existência de outros dias antes de nós.

SARA – (Alegre) Vejam em que lugar maravilhoso nós estamos! (Olha admirada em toda a sua volta, inclusive o público.) Montanhas imensas, vales verdejantes... flores belíssimas de todas as cores: rosas, margaridas, sempre-vivas, jasmins, tantas!

JONAS – E o sol, lá em cima a tudo iluminando. Imenso astro em sua eterna caminhada...

JANE – (Dirigindo-se a Rafael) Você falava da existência dos dias antes de abrirmos os olhos para a vida. Acho que eram os dias em que o Criador enfeitava a terra de árvores e flores, os dias em que cuidava do sol, da lua e das estrelas...
POLIANA – Sim, e também criava os animais!

(Rafael sai para o meio do público como passeando.)

TIAGO – Animais... Sim, é verdade. Eu já vi alguns deles aqui na floresta. São tigres lindamente pintados, pássaros de mil cores, elefantes, búfalos! Hoje vi enormes búfalos e eles não fazem mal a ninguém.

SARA – (Rindo) É engraçado como já sabemos os nomes de todas as coisas, como se as palavras também já existissem antes de nós, não é mesmo?

RAFAEL – (Voltando apressado para o meio de cena) Ei, vocês! Não imaginam o que descobri por trás daquelas montanhas. (Aponta a porta principal.)

JONAS – O que foi, homem? Que alegria é essa?

RAFAEL – (Quase atropelando as palavras) O mar... eu vi! Pude vê-lo com os meus próprios olhos; o mar que reina em seu azul.

POLIANA – Azul? Então o mar é azul? (Encantada.)

RAFAEL – Sim, quer dizer, embora também pareça verde, às vezes. Depende do modo como olhamos.

SARA – E o mar estava sozinho?

RAFAEL – Não; claro que não. O mar nunca está sozinho. Havia as gaivotas muito brancas e barulhentas, que cantavam à sua volta. Mas não eram só as gaivotas. Eu vi peixes, aos milhares... e até as baleias, que são imensas! (Eufórico.) Vocês precisavam ver as baleias! Elas são como donas dos mares e creio que morarão para sempre naquelas águas.

TIAGO – (Alegre) Então vamos todos ver o mar! O que estamos esperando? (Viram-se todos de costas, mãos dadas, e em seguida voltam-se de frente outra vez, rapidamente. Olham para a platéia, que consideram o mar.)

JANE e RAFAEL – Vejam, chegamos! É o mar! (Soltam-se e começam a expressar gestos de enfiar os pés na água, lavar o rosto, jogar água uns nos outros, alegremente, como crianças.)
SARA – Silêncio! Vamos ouvir o que dizem as ondas, elas estão fazendo um barulho como se cantassem.

(Todos cantam alegremente o hino 24, da Harpa Cristã, 1ª e 5ª estrofres.)

"Adorai o Rei do Universo!/ Terra e céus, cantai o seu louvor!/
Todo o ser no grande mar submerso,/ Louve ao Dominador!/
Todos juntos o louvemos!Grande Criador e Deus de amor!/
Todos o louvemos!/ Régio Dominador!/
Altos cedros, grama verdejante!/ Esta sinfonia aumentai!/
Aves, vermes, todo o ser gigante,/ Gratos a Deus louvai!".

RAFAEL – As ondas falam do Criador, aquEle que começou todas as coisas.
JANE – Eu gostaria... sim, gostaria de conhecê-lo.
JONAS – Eu também, e creio que todos nós gostaríamos de conhecê-lo, mas acontece que Ele está sempre entre nós. A paz e a união que temos é o que prova a sua presença. Apenas não podemos enxergá-lo porque a nossa visão é limitada.
RAFAEL – O amor entre nós é a presença do Criador. Não mais sentiríamos a sua presença se nós nos dividíssemos; se o nosso coração não fosse um só. E saibam: toda a natureza também nos fala de Deus.
JANE e TIAGO – "Os céus manifestam a glória de Deus e o firmamento anuncia a obra das suas mãos".
SARA – "Um dia faz declaração a outro dia e uma noite mostra sabedoria a outra noite...".
JONAS – "Sem linguagem, sem fala, ouvem-se as suas vozes...".
POLIANA – "A lei do Senhor é perfeita e refrigera a alma".
RAFAEL e POLIANA – "Quando vejo os teus céus, obra dos

teus dedos, a lua e as estrelas que preparaste...".
TIAGO – "As aves dos céus e os peixes do mar e tudo o que se passa pelas veredas dos mares...".
TODOS – (Com as mãos levantadas) "Ó Senhor, Senhor nosso, quão admirável é o teu nome sobre toda a terra!". (Cantam um corinho alegre e que se identifique com a cena. Depois, abraçam-se, expressando união e caminham para outro espaço de cena, sentando-se; pode ser no chão se a cena oferecer um bom ângulo de visão ao público. Jane sai e em seguida volta com um pão nas mãos, à guisa de bandeja.)
JANE – Trouxe o pão, feito do fruto da terra.
TODOS – (Em atitude de oração) Obrigado, Senhor, pelo pão. (Repartem alegremente o pão entre si.)
SARA e RAFAEL – (Chegando-se à frente) E eram assim (apontam a reunião para a pequena ceia) felizes, antes do conhecimento do pecado.
TIAGO e JONAS – (Levantando-se com os demais) E então Deus passeava no jardim do Éden...
TODOS – (Tornando-se muito sérios, e ficando de frente para o público.) Mas houve um dia, um dia diferente de todos os outros dias!
POLIANA – O dia em que o mal penetrou no coração do homem. (Viram de costas uns para os outros, dois a dois, ficando de lado para o público.)
RAFAEL – (Ainda na mesma expressão corporal – E, tendo pecado, afastou-se com isso o homem de Deus! (Colocam em seguida as faixas que estavam no chão, para dar idéia do símbolo do pecado que lhes manchou a roupa.)
JANE – Ao oriente do Éden, o homem levava o sinal de Caim e a marca do medo. (Sentam-se no chão, cabisbaixos e tristes, ficando de pé apenas o que dirá o poema, e Jonas, que sai de cena cabisbaixo.)
SARA – (ou outro componente.)
– Principalmente agora, Senhor, é que sinto a tua falta; na hora de angústia e medo é que percebo o quanto estou sozinha.

Só agora percebo,
e me parece tarde,
que estamos –
Criador e criatura – separados!...
A tua ausência, Pai,
é perder, estando vivo,
a própria razão de viver!
Tudo perdi, perdendo eu a ti.
E agora, Senhor,
ferida aberta na alma,
sou apenas uma enorme sede
do teu imenso amor.

POLIANA – (Levantando-se alegremente) Mas, não! Deus não abandonou o homem ao seu próprio destino... Cristo veio habitar entre nós! (Levantam todos as mãos para o alto em atitude de louvor e alegria, e permanecem em estático um segundo e, em seguida, começam a representar "O Cego de Jericó".)

TIAGO – (Animado) Dizem que Ele, o Cristo, passará hoje por aqui, de caminho para Jericó!

RAFAEL – É mesmo verdade, homem? O Mestre pisará por estes caminhos? Onde ouviu a notícia?

SARA – (Interrompendo alegremente) Ora, não se fala em outra coisa na cidade. Também ouvi hoje cedo, no mercado.

POLIANA – Dizem que Ele virá com uma grande multidão, que o acompanha sempre, por onde quer que vá!

JANE – Então poderemos vê-lo? Mas isto é magnífico!

RAFAEL – (Muito emocionado) Lá está! (Aponta para a porta principal.) É o Mestre! O Messias, que caminha entre o povo.

JONAS – (Um cego, entra pela porta dos fundos, tropeçando e caindo.) Onde? Onde está ele? (Grita:) Jesus, Filho de Davi, tem misericórdia de mim! Senhor, pois quero ver a luz do sol; toca os meus olhos, Filho de Davi!

TODOS – (Estendendo as mãos para Jonas) Vê, a tua fé te salvou!

JONAS – (Pulando de alegria) Eu vejo! Eu vejo!!! Estou curado. Eu vi o rosto do Mestre Jesus e agora verei o sol. (ajoelha-se) "Louvado sejas, Deus! Oh! Senhor, obrigado. Louvado sejas!".

(Todos cantam um corinho de louvor. Em seguida espalham-se todos pelo público, um em cada canto, bem distantes uns dos outros, e com o semblante sério.)

RAFAEL – O Cristo esteve entre os homens curando enfermos e ressuscitando mortos.
POLIANA – Mas veio principalmente para conduzir os homens ao céu.
JANE – Veio para o que era seu e os seus não o receberam.
SARA – E retribuíram o seu imenso amor com uma pesada cruz!
TODOS – A cruz que o conduziu ao Calvário. (Retornam ao centro de cena curvados, cabisbaixos e tristes.)
RAFAEL – (Com as mãos para trás, como algemado) "Senhores, o que é necessário que eu faça para me salvar?".
TODOS – (Muito alegres) "Crê no Senhor Jesus e serás salvo, tu e a tua casa".
SARA – (Indecisa) Mas ainda hoje, nos dias dos foguetes interplanetários?
RAFAEL – (Ainda na mesma atitude) Sim, hoje nos dias das grandes conquistas espaciais.
JONAS – Agora mesmo estão acontecendo maravilhas nos laboratórios científicos....
JANE – (Sem esperança) Não, eu não creio que a mensagem de Cristo seja a mesma hoje em dia. As nações disputam o domínio da terra e prevalece o mal contra o bem.
TODOS – (Animados) Ainda hoje sim! Cristo é o mesmo eternamente!
TIAGO – Desde a criação, desde o momento primeiro Ele é o mesmo!
POLIANA – Mesmo antes que existissem as estrelas no firmamento e antes que a relva crescesse no chão.

SARA – Ele reina sobre os mares, os céus e a natureza inteirinha.
RAFAEL – E voltará um dia! E todo joelho há de dobrar-se diante dEle.
JONAS – Sim, há de voltar! E o povo que é seu o aguarda ansiosamente. (Tiram as faixas coloridas e as jogam pelo chão.)
POLIANA – Quem é esse povo de que fala? Estes que estão vestidos de branco, quem são e de onde vieram?
TIAGO – Os vencedores! Eles serão vestidos de vestiduras brancas, e seus nomes não serão riscados nunca do Livro da Vida!
TODOS – (Apontando para o público) Vistam depressa de branco os seus corações! De branco como a neve. Aceitem a Cristo, que não tarda a voltar!

(Saem pela platéia cantando um corinho apropriado à volta de Cristo. Enquanto cantam, oferecem margaridinhas brancas, sorrindo e cumprimentando.)

O Homem que Deixou as Redes

(Para evangelismo)

PERSONAGENS: Pedro; André; Tiago; Ana; Suzana e Maria.

Cenários – Imagináveis. Dar ao público a idéia da existência do mar em toda a sua majestade e beleza.
Acessórios – Ao entrar em cena, Pedro usará uma rede de pesca.
Música – O grupo poderá criar outras mais.
Iluminação – Fazer o mais bonito possível.
Indumentária – Túnicas e mantos arranjados de modo criativo. Usar cores suaves (sem repeti-las muito) e tecidos rústicos. Usar sandálias rústicas, ou entrar descalços, em cena.

(Ao começar a peça entram todos em cena, alegremente; já vestidos para a representação.)

TODOS – Hoje temos um motivo especial de estar aqui. É a alegria que sentimos, e queremos repartir com vocês.
TIAGO – Temos uma história para contar. Uma história que conta verdades e fala de gente corajosa.
SUZANA – Falaremos de homens e mulheres que souberam provar o amor e a fé através dos seus atos.
ANDRÉ – Atos que fizeram história e nos contam do eterno amor de Deus até hoje.
PEDRO – E também contaremos de Pedro, o apóstolo, um dos primeiros que o Senhor Jesus chamou para a sua grande obra.
ANA – (Olhando interrogadora para os demais componentes) Mas o que teria acontecido com Pedro após o grande chamado do Mestre? O que teria acontecido à sua família?

MARIA – Foi Pedro quem começou a anunciar o aparecimento de um novo homem – JESUS, e com Ele o nascer de um novo mundo.
TIAGO e SUZANA – Esperem e prestem bastante atenção. Ouvidos e coração alerta para ouvir nossa canção e nossa história também! (Cantam uma música especial; bastante alegre. Depois saem todos de cena ficando apenas Ana olhando para o mar, que é a platéia, e andando angustiada de um lado para o outro.)
ANA – O sol já se perdeu no poente, o mar está bravio e Pedro não vem. "Ó Altíssimo! Guarda-o de qualquer mal! Faze com que o seu barco possa enfrentar mais uma vez a fúria deste mar". (Continua andando nervosamente. Nesse momento, Pedro entra em cena, com a sua rede. Ana fica assustada com sua repentina chegada.) Pedro! Oh! que bom, você voltou! O mar hoje me parece terrível!
PEDRO – Mas o que tem você, Ana? Por que está tão nervosa?
ANA – (Gaguejando) Na... não sei, ti... tive medo do mar.
PEDRO – Medo? e por quê?
ANA – (Rindo nervosamente) Engraçado, eu que sempre vivi tão próximo do mar. Ele é quase um elemento do meu próprio sangue. E agora tenho medo!
PEDRO – Não esteja tão assustada, Ana. O mar sempre foi nosso amigo. (Boca de cena.) Quantas vezes senti-me como Netuno, dominando as ondas, sem nenhum medo do mar, e até com alegria, como se o tivesse em minhas mãos (Olha as mãos, indeciso e divagando.); nestas mãos.
ANA – Pedro... (Ele não houve.) Pedro, o que tem você? Acho-o estranho.
PEDRO – Ana eu... preciso falar-lhe. É algo muito importante, creia. O mais importante... e estranho que já nos aconteceu, e que poderá mudar nossas vidas.
ANA – (Amedrontada) Fale! Fale de uma vez, ou morro de medo!
PEDRO – Foi hoje. (Ri.) Sim, foi hoje, sabe? Eu estava pescando com André, meu irmão... quando Ele apareceu.

O Homem que Deixou as Redes

ANA – Apareceu? Ele quem? Quem, Pedro?
PEDRO – O Mestre! Já ouviu falar dEle, não é verdade? AquEle que havia de vir... o Prometido das nações.
ANA – Fala do Cristo?
PEDRO – Sim, de Jesus Cristo! Ele hoje esteve conosco no mar e disse que deveríamos deixar as redes.
ANA – Deixar as redes? Como pode ser isso, Pedro?
PEDRO – Sim, deixar a nossa profissão. E, veja, disse-me que eu não seria mais pescador de peixes, mas de almas. (Sonhando.) Eu... pescador de almas, Ana!
ANA – Você está louco, Pedro? Que idéia tão estranha é esta? Como pode seguir a um homem que... sei lá, um místico que vive a falar de coisas que nada têm a ver com a realidade?...
PEDRO – Com a realidade, Ana? Não use tanto a lógica, que é um perigo para a vida espiritual. E não fale assim do Cristo. Ele é a luz que veio alumiar este mundo de trevas. É o caminho para a eternidade. (Pausa, depois coloca as mãos no ombro de Ana, carinhosamente.) Olha, ouça bem o que vou dizer: a partir de hoje você deverá ficar em casa de sua mãe, para não sentir-se muito só. O Mestre pretende viajar muito e tenho de acompanhá-lo. Mas não se perturbe: não vou abandoná-la; sempre que puder, estarei junto de você, e trarei tudo o que for necessário ao seu sustento.
ANA – O que diz você, Pedro? (Nervosa, liberta-se bruscamente das mãos de Pedro.)
PEDRO – Calma. Com a sua mãe você estará bem, Ana. É importante que eu obedeça ao Mestre. Ele sabe o que faz, e, por incrível que pareça, precisa de nós, de homens comuns, como eu e André. Disse que logo chamará outros. Há uma missão, Ana, uma grande missão!
ANA – Não! Eu não posso compreender tanta loucura. Você não é o mesmo, Pedro.
PEDRO – Tem razão, Ana, já não sou o mesmo. Ninguém permanece o mesmo depois que ouve as palavras do Cristo, Entenda! Rogo-lhe!

ANA – (Parecendo conformada, como quem aceita uma fatalidade) Está bem. Amanhã mesmo irei para a casa de minha mãe.
PEDRO – Perdoa-me, Ana, mas agora preciso ir. Tenho de falar a André, que me espera na praia.
ANA – Espere... leve as redes, você pode precisar!
PEDRO – Não. Não precisarei mais delas, nunca mais!
ANA – (Depois que Pedro sai) Pedro, Pedro! Oh, meu Deus, o que será dele! O que será de nós? (Senta-se no chão, com a cabeça entre os braços, como se chorasse.)
VOZ OCULTA – "Se alguém quiser vir após mim, negue-se a si mesmo, tome a sua cruz e siga-me. Ninguém que lança mão do arado e olha para trás é digno do Reino de Deus". (Ana sai de cena, tristemente.)
PEDRO – (No auditório) André, André, onde está você?
ANDRÉ – (Sentado a um dos bancos) Estou aqui, meu irmão! Estava à sua espera como combinado. (Seguem para o espaço central da cena.)
PEDRO – E então, o que lhe disse Ele?
ANDRÉ – Disse-me que antes do nascer do sol deveremos partir. Ele trará consigo os outros, num total de dez.
PEDRO – Doze conosco. Sim, seremos doze para o seguirmos aonde quer que ordene.
ANDRÉ – Sim, e temos muito que caminhar, muito o que fazer. Disse-me ainda que não deveríamos levar bolsas ou qualquer outra coisa.
PEDRO – Está certo, assim farei.
ANDRÉ – E Ana, como está ela?
PEDRO – Desesperada. Sei que está sofrendo muito e me preocupo com ela. (Pausa.) Mas sabe? Sinto que não poderia agir de outro modo. É como se fosse também uma ordem interior. Algo de grandioso, embora desconhecido.
ANDRÉ – Eu também sinto o mesmo. Sinto que é como se tivéssemos nascido para este momento. Veja, aproxima-se alguém.

TIAGO – (Cumprimentando-os à moda oriental) Salve! A paz seja convosco. Sou Tiago, a quem Cristo também chamou. Ele enviou-me aqui dizendo que deveria esperar junto com vocês. Os demais estarão na outra margem e no momento exato nos encontraremos.

OS TRÊS – (Apontando para o público) Os demais estão na outra margem. Logo estaremos juntos, no mesmo propósito, um ideal repartido entre todos nós.

PEDRO – É necessário levar as boas novas da salvação às ovelhas perdidas da Casa de Israel.

ANDRÉ – Sinto como se o meu peito estourasse de alegria! Eu, portador das boas novas... Como pode ser? Parece um sonho.

TIAGO – Também sinto o mesmo, embora tenha sido necessário renunciar a tudo. Sou um homem novo para uma nova vida.

PEDRO – Uma vida que pode ser de grandes perigos, Tiago. Não devemos esquecer que as autoridades detestam o Nazareno e nos detestarão também, não duvide!

TIAGO – Tem razão, Pedro. A partir de hoje estaremos correndo o risco de morrer ao fio da espada.

PEDRO – (Entusiasmado) Mas não me assusta a espada! Agora sei que um dia passarei apenas pela morte física. Temos a eternidade, meus irmãos! (Para o público.) Temos a eternidade, o Paraíso. Não é magnífico?! (Quadro estático, como se estivessem caminhando decididamente. Em seguida, sob luzes apagadas, saem.)

ANA – (Entrando em cena sob luzes acesas, encontra a mãe como se estivesse olhando para a janela.) Oh! Mamãe! Por que levantou-se? Ainda hoje pela manhã teve tanta febre! Estava passando tão mal.

SUZANA – Não tenho mais febre, filha. Não tenho mais mal algum. Fui curada!

ANA – Como curada? A senhora sabe que os médicos...

SUZANA – (Cortando) Ora, os médicos fazem o que podem, entretanto eles não sabiam como tratar-me; e além do mais, para que precisaria dos médicos? (Sorri.) O Cristo curou-me! Apenas tocou-me levemente a cabeça e... não sinto mais nada.

ANA – (Sem graça) Ele esteve hoje aqui?

SUZANA – Sim! Foi maravilhoso. A minha casa encheu-se de doce paz. Tenho o corpo e a alma curados, para sempre! Ana, Ele é mesmo o Filho do Deus Altíssimo.

ANA – (Abraçando a mãe) Que alegria, que grande alegria, minha mãe. (Olhando para a janela.) Veja! Lá está Ele, o Cristo, e veja que multidão. (Aponta a platéia.)

SUZANA – Eu não lhe disse? Apenas toca os enfermos e eles ficam sarados e transformados! Oh! Ana, Ana... que hora belíssima esta! Veja... (aponta para o alto, ao longe) é o pôr-do-sol, e Ele, o Sol da Justiça, está abençoando os enfermos.

ANA – Ele é o Sol da Justiça, a luz que alumia as trevas. (Abraça a mãe.) Sim, eu creio! Creio que Ele é o Prometido, o Príncipe da Paz, que inundou-me agora a alma de uma alegria sem igual!

SUZANA – (Rindo) Você foi transformada pela fé, minha querida. O grande poder de Mestre alcançou-a. Você também foi iluminada pela "Grande Luz", e para sempre! Nunca mais viverá na escuridão, nunca! Lembra-se do que se lê em Isaías? – "O povo que andava em trevas viu uma grande luz". Esta é a luz, e nós a vimos. Que alegria, minha querida!

MARIA – (Entrando) Vejo que cheguei numa hora alegre. Parecem muito felizes as duas, heim?

SUZANA – Sim, Maria querida, falávamos do Cristo, e do quanto Ele nos iluminou.

MARIA – Posso compreender isto. Aconteceu comigo o mesmo. O seu grande amor encontrou-me também.

ANA – Como foi, Maria? Conte-nos!

MARIA – O Mestre Jesus é amigo de nossa família. Lázaro e Marta, meus irmãos, também o amam. Somos muito felizes quando nos visita! O nosso lar se transforma num pedaço de céu aqui na terra, sabem?

SUZANA – Posso imaginar. Poucas vezes tive oportunidade de ouvi-lo, mas estou tão contente! Suas palavras são capazes de tocar-nos a alma para sempre!

ANA – E quantos milagres Ele opera! Que compaixão tem pelos sofredores! não é mesmo, mamãe! Agora, veja, Maria (Aponta.), a multidão está sendo curada por Ele.

MARIA – Sim, posso ver. Porém, muito mais felizes são os que podem ser curados da alma, como aconteceu a mim e a meus irmãos. Esta é a cura completa, o caminho para o céu.

ANA e SUZANA – E o caminho para o céu é Jesus, não é? (Sorriem.)

MARIA – Ele já escolheu os que irão segui-lo. Tem tarefas especiais para cada um deles.

SUZANA – Sei que os discípulos estarão sempre com Ele; mas sabe, acho que a nós também foram entregues tarefas especiais e grandiosas! Somos salvas e importa levar esta mensagem a outros.

MARIA – E que grande responsabilidade nós temos. Somos portadoras de um grande tesouro que deve ser distribuído, imediatamente! Não podemos mais permanecer de braços cruzados. Os seguidores de Cristo devem ser cheios de ousadia e de coragem!

SUZANA – Você tem razão, Maria. Podemos até começar agora, o que acha? (Saem pelo público e falam para quantos puderem.)

MARIA – (Fala a um) Olhe, eu fui salva! Jesus quer salvar você também.

SUZANA – (Fala a outro) Hoje eu vi milagres ao pôr-do-sol. O Sol da Justiça será eterno em sua vida, se seguir os passos do nosso Mestre.

ANA – (A outro mais) Basta um só passo, um passo que irá transformá-lo. Ele, o Mestre de Nazaré, é o caminho para a felicidade aqui... e lá no céu.

SUZANA – (Dirigindo-se às outras) Vamos! Vamos! Há muito que caminhar. A estrada é longa. Muitos outros ainda precisam ouvir. (Sinal de bênção a todos.) Deus os guarde e abençoe!

ANA – Sim, vamos depressa! (Saem pela porta principal.)

(Entram em cena Pedro e Tiago. Pedro aponta para uma visão, assustado e alegre.)

PEDRO – Veja, veja Tiago! é Jesus. E acho que quer falar-nos.
VOZ OCULTA (De André) – "Quem dizem os homens ser o Filho do Homem?".
TIAGO – "Uns João Batista, outros Elias, e outros Jeremias ou um dos profetas".
VOZ OCULTA – "E vós, quem dizeis que eu sou?".
PEDRO – (Com ênfase) "Tu és o Cristo, o Filho do Deus vivo!...".
Voz Oculta – "Bem-aventurado és tu, Simão Barjonas, porque isto não te foi revelado pela carne e pelo sangue, mas por meu Pai, que está nos céus. Pois também te digo que és Pedro e sobre esta pedra edificarei a minha igreja, e as portas do inferno não prevalecerão contra ela".
TODOS – E assim, sobre "esta pedra" – Cristo – foi edificada a Igreja.
ANA e ANDRÉ – E a Igreja somos nós, todos nós. Não uma casa feita de teto e tijolos, mas uma fé verdadeiramente firmada.
TODOS – Firmada e alicerçada dentro do coração. Uma fé capaz de abalar os "montes".
MARIA – Fé perfeitamente capaz de fazer nascer um sorriso no rosto que era só de tristeza. (Tiago sai.)
SUZANA e PEDRO – Ah! Que o mundo inteiro conheça este sentimento! Esta certeza que nos enche a alma de alegria!
ANDRÉ – Fechar os olhos na terra e abri-los devagarinho no céu, para a felicidade com Cristo...
VOZ OCULTA – (Tiago) "E quando chegaram ao lugar chamado Gólgota, ou a Caveira, ali o crucificaram e aos malfeitores, um à direita e outro à esquerda. E dizia Jesus: Pai perdoa-lhes porque não sabem o que fazem! E os soldados, escarnecendo dele, diziam: Aos outros salvaste; salva-te a ti mesmo, se és o Cristo, o escolhido de Deus! E também por cima dele estava um título, escrito em letras gregas, romanas e hebraicas: Este é o Rei dos Judeus. E era já quase a hora sexta e houve escuridão em toda a terra até a hora nona. Escurecendo-se o

sol, rasgou-se ao meio o véu do templo. E clamando Jesus em grande voz, disse: Pai, nas tuas mãos entrego o meu espírito. E havendo dito isto, expirou". (Durante a fala, os demais permanecem em cena abaixados, muito tristes, como consolando-se uns aos outros. Ao acabar a narração, levantam-se todos; Tiago volta à cena e cantam um corinho que fale da alegria da ressurreição ou da volta de Cristo.)

TODOS – (Com as mãos levantadas) Sim, Cristo venceu a morte, e a tristeza não foi para sempre.

RAPAZES – E Ele, o Mestre, está hoje aqui entre nós.

Pedro – Está aqui o mesmo Cristo que nos chamou, a mim e a meu irmão, lá no mar da Galiléia.

ANA e SUZANA – O mesmo Cristo que cura, porque ama os enfermos. O mesmo que multiplicou pães e peixes para saciar a fome de todos.

MARIA – Ele em nada mudou. (Sorriem.) Ele ainda é o Cristo da hora do pôr-do-sol no sermão da montanha.

PEDRO – Ele ainda diz: "Bem-aventurados os misericordiosos, porque eles alcançarão misericórdia".

TIAGO – E: "Bem-aventurados os pacificadores, porque eles serão chamados filhos de Deus".

ANDRÉ – E: "Bem-aventurados os que sofrem perseguições por causa da justiça, porque deles é o Reino dos céus".

ANA – E: "Bem-aventurados os limpos de coração, porque eles verão a Deus".

SUZANA – E: "Exultai e alegrai-vos, porque é grande o vosso galardão nos céus".

TODOS – (Sorrindo e em alta voz) "Alegrai-vos, e exultai: o Cristo de ontem é o mesmo de hoje, e o será eternamente. Alegrai-vos, povo de Deus, geração eleita para os céus!".

(Cantam todos o hino 375, do Cantor Cristão.)

A Testemunha

(Para o Dia de Natal)

"... Porque não havia lugar para eles na estalagem".

Personagens: Juliana, a mãe; Augusto, o pai; Jasmim, filha; Kamal, filho (José, Maria e três pastores apenas comporão um quadro, e não terão diálogo).
Cenário – Uma casa pobre e rústica.
Acessórios – Moedas e um jarro rústico.
Indumentárias – Túnicas compridas e mantos bem arranjados nos ombros dos homens e das mulheres. Ter o cuidado de não usar tecidos brilhantes, mas surrados. Variar os tons das cores. Todos usarão sandálias rústicas ou estarão descalços.
Iluminação – Além do sugerido, o grupo criará a seu modo, com bom gosto.
Música – Incluir outras, se necessário.

(Ao começar a peça estão em cena Augusto e Juliana.)

AUGUSTO – (Mal-humorado) Apressa-te, mulher! Leva logo a bebida que os homens estão esperando.
JULIANA – (Amedrontada) Não me demoro. Estou esperando que o carneiro esteja cozido.
AUGUSTO – (Autoritário) Nada de esperas! Vamos de uma vez! Na adega está o vinho para levar-lhes. Você não passa de uma preguiçosa.
JULIANA – Está bem, está bem... Mas sabes que não gosto de servir bebidas àqueles homens. Parecem salteadores...
AUGUSTO – Mas precisamos de dinheiro e eles, mesmo que sejam salteadores, nos darão dinheiro, e isso é o que importa. Além do mais, você mesma deve servi-los, pois Kamal,

nosso filho, está nos campos cuidando das ovelhas. (Juliana sai e Augusto fica contando suas moedas.)
AUGUSTO – Mulher estúpida! Como pensa ela que poderemos viver se nos faltar o dinheiro? (Divaga.) É mesmo preciso ter muitas moedas, milhares de valiosas moedas! Ainda serei o homem mais rico das redondezas. Em Belém hão de ouvir o meu nome! Ainda deixarei esta hospedaria, que não passa de uma espelunca, por um negócio mais próspero e lucrativo.

(Chega Jasmim com um jarro rústico.)

JASMIM – Sua bênção, meu pai.
AUGUSTO – (Aborrecido) Por onde andou, menina?
JASMIM – Fui até o poço, buscar água.
AUGUSTO – Espero que seja mesmo verdade o que diz. Não gostaria de precisar espancá-la novamente.
JASMIM – (Amedrontada) Mas por quê?
AUGUSTO – (Ameaçador) Ainda perguntas por quê? Pois bem, eu direi o motivo: um dos homens que traz a lenha para a estalagem disse ter visto a ti e Kamal em companhia de parentes de Israel, essa mulher que alega ser "temente Deus". Já disse muitas vezes para não se juntarem a esses que esperam as coisas caírem do céu. Céu é ter dinheiro, e para isso é preciso trabalhar, ouviu bem?
JASMIM – Não fale assim, meu pai. Devemos respeitar a Deus, que é o Senhor do universo.
AUGUSTO – Cale a boca, pequena. Mulheres foram feitas para permanecerem caladas, bem quietinhas, ouviu? (Levanta a mão para Jasmim, mas a entrada de Juliana o interrompe.)
JULIANA – O que é isso, Augusto? Por favor, não bata na menina outra vez! (Muda a conversa, para aliviar a tensão.) Olha, está aí um casal procurando hospedagem.
AUGUSTO – Quanto poderão pagar?
JULIANA – (Gaguejando) Na... na... não sei. Penso que são muito pobres, e...

AUGUSTO – (Cortando, com veemência) Pois que vão buscar outro lugar. Não quero saber de pobres que não têm como pagar.
JULIANA – Mas meu marido, a mulher está quase a dar à luz uma criança!
AUGUSTO – Pois que morram! Você ainda quer arranjar-me problemas, mulher? Onde já se viu termos aqui uma criança a choramingar?
JASMIM – (Corajosa) Mas temos uma vaga nos aposentos ao lado, pai.
AUGUSTO – Cala a boca! Vá, mulher, e diga que não temos lugar.
JULIANA – Mas para onde irão, se após o decreto de César Augusto para que venham os alistar-se, a cidade está superlotada?
JASMIM – Não encontrariam hospedagem em nenhum outro lugar. Kamal, meu irmão, disse que muitos dormem pelas estradas.
AUGUSTO – Sabem de uma coisa? Eu estou farto de vocês com as suas constantes lamúrias. Não quero que esses pobretões fiquem e é só! Vamos, Juliana diga-lhes que se retirem imediatamente! (Grita.) Vamos, eu já disse! (Juliana sai apressadamente e em seguida Jasmim, após o olhar de ódio do pai.)

(Quadro estático com Augusto olhando para as suas moedas. Após uma pausa em que poderá entrar uma música especial, apagam-se as luzes. Kamal entra correndo pela porta principal, ainda no escuro.)

KAMAL – (Gritando) Pai, Jasmim, minha mãe! Onde estão todos?

(Sob luz fraca aparecem os familiares.)

AUGUSTO – Mas que gritaria louca é esta, Kamal? Não pode falar mais baixo?
KAMAL – (Ofegante) Acendam as as luzes! (As luzes ficam mais fortes.) Tenho uma notícia maravilhosa!

JULIANA – (Tocando o braço do filho) Kamal, meu filho, não consegui dormir durante a noite preocupada com você. Por que demorou tanto?
KAMAL – (Sacudindo com energia, mas carinhosamente os ombros da mãe, a abraça e, em seguida, aperta-a de encontro ao peito.) Minha mãe, oh! Minha querida mãe! Não imagina o que tenho a dizer-lhe!
JASMIM – (Sorrindo) Pois fale logo, meu irmão! Não nos deixe tanto tempo na expectativa!
AUGUSTO – (Mal-humorado) Imagino que se deve tratar de mais uma de suas bobagens.
KAMAL – (Andando de um lado para outro, demonstrando grande euforia.) Meu Deus, eu nem mesmo sei como começar! É verdade: as palavras são tão pequenas para traduzir o fato inesperado e esplêndido que se passou comigo! Que indizível felicidade! (Olha para Jasmim que está ansiosa.) Sim, minha querida, vou narrar o que houve. (Respira para adquirir fôlego.) Durante a noite, eu apascentava as ovelhas como de costume, com Zacarias e Elifaz, quando... (Emudece de emoção.)
JULIANA – (Tocando seu rosto) Vamos, filho, conte-nos!
KAMAL – Apareceu-nos um anjo do Senhor!
JULIANA e JASMIM – Um anjo?
KAMAL – Sim! E a glória do Senhor cercou-nos de resplendor. De início ficamos temerosos, mas ele nos disse que trazia novas de grande alegria para o o povo.
AUGUSTO – (Irritado) Cale-se, Kamal! Você está louco.
KAMAL – (Dirigindo-se com autoridade para o pai) Não, meu pai, eu não estou louco e nem posso calar-me. (Augusto intimida-se.) Pois bem, o anjo contou-nos que na cidade de Davi acabara de nascer o Salvador, que é Cristo, o Senhor.
JASMIM – Eu sabia! O Senhor havia colocado isto em meu coração.

Vagarosamente, começam a aparecer em plano ligeiramente mais elevado (se possível, poderá ser no lugar onde costuma ficar o coral da igreja, uma vez que ofereça bastante visão para o público) José, Maria e os três pastores, um dos quais não se deixará ver o rosto, que encobrirá com o manto, por tratar-se do próprio Kamal. Maria se colocará de joelhos acalentando um bebê na manjedoura (imaginável.) José ao seu lado e, mais adiante, juntos, os pastores.

KAMAL – O anjo ainda nos disse que como sinal acharíamos o menino envolto em panos e deitado numa manjedoura. Depois, creiam, apareceu com o anjo uma multidão dos exércitos celestiais louvando a Deus e dizendo:
OS COMPONENTES DO QUADRO – "Glória a Deus nas maiores alturas, paz na terra e boa vontade para com os homens!" (Devem dizê-lo alto e alegremente.)
KAMAL – Então fomos até Belém e tivemos a graça de ver o que o anjo nos anunciara.
JULIANA – Mas que grande bênção, meu filho! Sabe, enquanto você fala tenho a impressão de ver tudo o que aconteceu. E tenho em meu coração que o Messias é nascido daquela mulher que esteve com o marido a procurar hospedagem em nossa porta.
JASMIM – Também penso o mesmo, minha mãe. (Abraça o irmão.) Oh! Kamal, como estou feliz! (Olha o pai, que parece angustiado.) Meu pai, o que se passa em seu coração?
AUGUSTO – Estou imensamente amargurado. Eu não sou digno de ter ouvido tudo isso.
KAMAL – Como não é digno, meu pai? os somos merecedores da salvação através da vinda do Filho de Deus.
AUGUSTO – Todos não, eu nada mereço. Sempre fui um patife da pior espécie!
JULIANA – (Aproxima-se do marido) Pois é o momento agora de arrepender-se, Augusto. Belém abriga hoje o Filho de Deus, que veio salvar-nos de nossos pecados.
AUGUSTO – (Sinceramente arrependido) Como pude ser tão hipócrita, meu Deus! Negando hospedagem a um pobre casal deixei de ter aqui nesta casa o teu Filho, Jesus?!... (Ajoelha-se, chorando.) Perdoa-me, Pai eterno, perdoa-me!

KAMAL – (Tomando as mãos do pai e ajudando-o a levantar-se) Levante-se, meu pai. Tenho certeza de que as portas do céu foram abertas agora para o senhor. (Ficam os abraçados enquanto Augusto fala.)
AUGUSTO – A partir de hoje, a nossa hospedaria estará aberta a todos. O meu coração, como a hospedaria, estará aberto para a humanidade. os pobres, os angustiados, os fracos, os filhos de Deus espalhados por a terra!
VOZ OCULTA – "E não vos esqueçais da hospitalidade, porque por ela, alguns, sem saber, hospedaram anjos!".

(Cantam com a igreja o hino 33, da Harpa Cristã.)

Era uma vez o Natal

(Para o Dia de Natal)

PERSONAGENS:

NARRADOR(A) – Moça, rapaz ou criança com túnica comprida, de cor viva, e manto de cor diferente nos ombros. Lerá o texto num rolo, como pergaminho.
ANJO – Moça ou criança vestida de branco acetinado (túnica) e com uma tira feita com cartolina e laminado, contornando a cabeça.
PAZ – Moça vestida de branco, cabelos soltos, uma flor branca nos cabelos e em uma das mãos.
REI MAGO – Rapaz ou criança usando comprida túnica amarelo-vivo. Coroa feita com cartolina e laminado. Manto vermelho, com colagens de laminado nos ombros.
PASTOR – Criança ou rapaz usando túnica comprida, de tecido surrado; manto de estopa nos ombros e cajado.
POBRE – Mulher pobremente vestida, à moda antiga ou atual. Cabelos em desalinho.
MOÇA CRISTÃ – Usando túnica de cor azul-claro, manto de outra cor suave
NATUREZA – Adolescente vestida de túnica verde. Faixas de diversas cores amarradas à cintura. Flores diversas nos cabelos.
SÁBIO – Rapaz com túnica de cor muito viva. Cordinha amarrada à cintura. Trará nas mãos uma luneta feita com cartolina e as lentes em papel transparente.
Acessórios – Sandália de tiras para o rei mago, as demais personagens deverão estar descalças.
Cenários – Uma estrela feita em material brilhante, acima do lugar onde deverá estar uma manjedoura vazia.

Música e iluminação – Criação do grupo.
(Entram todos de uma só vez, sob música suave.)

TODOS – (De mãos dadas) Nós estamos aqui para contar uma bela história. A mais bonita de todos os tempos. (Sorrindo.) Era uma vez o Natal!

NARRADOR(A) – (Destaca-se e lê no pergaminho) "Ora, havia, naquela comarca, pastores que estavam no campo e guardavam, durante a vigília da noite, os seus rebanhos. E eis que o anjo do Senhor veio sobre eles e a glória do Senhor os cercou de grande resplendor, e eles tiveram grande temor. E o anjo lhes disse:

ANJO – (Com o braço estendido para o alto) "Não temais, porque eis aqui vos trago novas de grande alegria, que será para todo o povo, pois na cidade de Davi vos nasceu hoje o Salvador, que é Cristo, o Senhor. E isto vos será por sinal: achareis o menino envolto em panos e deitado numa manjedoura".

TODOS – (Com os braços levantados) "Glória a Deus nas alturas e paz na terra, boa vontade para com os homens!".

NARRADOR(A) – (Continua lendo) "E depois que os anjos se ausentaram para o céu, os pastores disseram uns para os outros: Vamos, pois, até Belém e vejamos isso que o Senhor nos fez saber. E foram apressadamente e acharam Maria, José, e o menino deitado numa manjedoura. E depois que o viram, divulgaram a palavra que acerca dele lhes fora dita".

REI MAGO e PASTOR – "Onde está o que é nascido rei dos judeus? Porque vimos a sua estrela no Oriente e viemos a adorá-lo".

PASTOR – (Chegando bem perto da manjedoura) Sou um dos pastores a quem o anjo avisou, lá no campo, do seu nascimento. O nosso coração encheu-se de temor, mas também de uma imensa alegria! Tu és o esperado de todas as nações. O Conselheiro, Deus Forte, Pai da Eternidade e o Príncipe da Paz! Deus seja louvado por tua presença entre nós. (Ajoelha-se junto à manjedoura e permanece em estático.)

REI MAGO – Sou um rei, vindo do Oriente e represento todos os reis da terra! É pena, menino, que virão dias em que os reis não o procurarão mais, sempre ocupados que estão com os tesouros da terra, que a traça e a ferrugem corroem. Eles estarão esquecidos do grande tesouro espiritual que devemos acumular no céu; preocupados com suas riquezas, desconhecerão que ser um seguidor da estrela do Oriente é a decisão mais acertada na vida de qualquer pessoa. Glorificado sejas para sempre, Rei dos reis, Senhor dos senhores! (Ajoelha-se e permanece.)

NATUREZA – Estou muito feliz, menino Jesus, por participar também do teu Natal! Eu represento a natureza. Trago comigo, em tua homenagem, os mais dourados pores-do-sol e as mais lindas noites enluaradas. Tu, menino, és muito mais bonito do que todas as estrelas que brilham nos céus, e a tua voz é mais doce que o canto suave das ondas na praia. Ofereço-te o verde perfumado de todas as árvores e o mágico colorido de todas as flores. Sei que tu falarás sempre da natureza, lembrando o vento que sopra onde quer, os pássaros, os lírios do campo... O teu brilho para a humanidade trará a grande luz espiritual para todos os que desejam buscá-la. (Ajoelha-se, como Maria, a adorar o menino – imaginável.)

TODOS – Jesus é a luz do mundo. Quem o segue jamais andará em trevas.

MULHER POBRE – (Sem jeito e próximo à manjedoura) Desculpe, menino Jesus, por eu vir assim, tão mal vestida, para a grande festa de Natal. Mas eu não tenho mesmo uma roupa melhor. Represento todos os pobres espalhados pela face da terra... e fico feliz porque tu não te importas com as aparências; só olhas para o interior das criaturas. Sei que em tua vida estarás sempre preocupado conosco e ensinarás ao mundo o amor aos necessitados. Os que te seguirem aprenderão a dar pão a quem tem fome e água a quem tem sede. Eles saberão que as palavras de vida eterna são sempre completadas com as boas obras, porque de nada vale um amor só de palavras. (Ajoelha-se também junto aos demais.)

TODOS – "Amarás ao teu próximo como a ti mesmo!".

PAZ – Eu represento a paz, meigo menino. Tenho o branco da paz, que nunca faltará em teu caminho, porque tu és mesmo a maior mensagem de paz que o mundo já recebeu! Os anjos falaram de paz no momento eterno para a humanidade, quando tu nasceste. O teu nome será sempre exaltado por ser o maior exemplo de paz. Que todos os seres humanos possam seguir as tuas pegadas no ideal de semear sempre o amor e a paz! (Ajoelha-se.)

SÁBIO – Eu também quero participar do Natal. Estou representando os cientistas, os grandes descobridores. Também os matemáticos e intelectuais de todos os tempos. Quero conhecer-te, menino Jesus, porque ainda que eu tentasse demonstrar, através da ciência, e provar o contrário, tu permanecerias a maior procura de toda a humanidade. Os sábios pretendem conhecer todos os mistérios da terra, mas sem ti, desconhecem os caminhos da paz, da fé e do amor verdadeiro, que conduzem ao céu. (Coloca-se também de joelhos.)

MOÇA CRISTÃ – Salve, Rei de Israel! Serei tua seguidora, uma cristã. Aprenderei o desapego das coisas materiais e o amor ao próximo. Tomarei cada dia a minha cruz e não levarei bolsa nem alforje quando sair pelos caminhos anunciando as boas novas de salvação. Serei como Maria, a irmã de Marta, que preferiu sempre a tua companhia às preocupações e à pressa. Terei a audácia de Paulo e o fervoroso amor de Pedro, o pescador de almas. Serei corajosa como João em Patmos e simples como Maria, a mãe! O meu pedido será sempre o mesmo: "Ensina-me a fazer o que queres que eu faça". (Ajoelha-se.)

REI MAGO, PAZ E PASTOR – (De pé) O Natal eterno nasce todo dia no coração da gente, quando aceitamos a Jesus Cristo, o Rei nascido numa manjedoura em Belém!

NATUREZA – (De pé) E esta é a história do Natal, a mais bonita história de todos os tempos!

TODOS – (De pé, alegremente, em torno da manjedoura) Mas Natal são todos os dias do ano, quando se aceita a bela mensagem em forma de criança nascida um dia na manjedoura, em Belém!

Eles Seguiram a Estrela

(Para o Dia de Natal)

Personagens: Jônatas e Eli (pastores); Anjo; Pedro; Paulo; Samaritana; Maria; Lídia; Moça cristã.

Indumentária – À exceção da moça cristã, que vestirá roupas simples, mas da época moderna, os demais vestirão túnicas e mantos arranjados de modo criativo. Ter o cuidado de variar bem as cores para formar um bonito quadro ao final. O anjo, além das roupas brancas, usará uma tira feita de cartolina e laminado, ao redor da cabeça.
Cenários – Imagináveis.
Acessório – Um jarro rústico para a mulher samaritana.
Iluminação – Dentro das possibilidades do grupo.
Música – Além do hino sugerido no final, o grupo poderá optar por outras.

(Ao começar a peça Jônatas está em casa, desanimado, sentado no chão.)

ELI – (Entrando pela porta principal) Jônatas, Jônatas... Oh! Você está aí! Onde deixou as ovelhas?
JÔNATAS – (Levantando-se) Estão com Rafael, do outro lado do rio. Ele veio ajudar-nos agora que os rebanhos aumentaram de forma assustadora.
ELI – Sim, temos mesmo muito trabalho. Mas sabe, ainda assim encontro alegria em viver. Ah! como gosto destas montanhas e destas árvores tão lindas que temos aqui!
JÔNATAS – Não posso dizer o mesmo, Eli. Ando muito triste ultimamente e acho até que não encontro mais razões para viver.

ELI – Sei que você está preocupado com a situação de extrema pobreza em que vivemos. Mas acho que não deve deixar-se abater, nem perder as esperanças. Veja que noite maravilhosa, Jônatas: o luar está mais claro que nunca e o céu enfeitado de estrelas.
JÔNATAS – Ora, as estrelas, Eli! Não temos tempo para sonhos. Por que ao invés de ficarmos aqui olhando as estrelas não aproveitamos para descansar um pouco? Hoje não paramos um só instante.
ELI – Tenho pena de você, Jônatas, que não pode mais alegrar-se com a natureza magnífica que está diante de nós: tudo isto é uma demonstração do amor de Deus.
JÔNATAS – Não percamos mais tempo. Vamos para o outro lado do rio apanhar as tendas para descansarmos um pouco.

(Um anjo aparece e levanta para o alto uma das mãos, como em saudação.)

JÔNATAS – (Muito assustado) Quem é você? o que quer?
ANJO – "Não temais. Por que eis aqui vos trago novas de grande alegria, que será para todo o povo, pois na cidade de Davi vos nasceu hoje o Salvador, que é Cristo, o Senhor".
ELI – (Extremamente feliz) Então é nascido o Cristo, o Filho de Deus? Que grande alegria!
ANJO – "E isto vos será por sinal: achareis o menino envolto em panos e deitado numa manjedoura". (Sai.)
JÔNATAS – Sinto-me envergonhado, bom amigo. Eu estava tão infeliz; e a felicidade estava tão próxima de nós – nasceu Jesus, aquEle que conduzirá os que crêem, à vida eterna.
ELI – Ele é Maravilhoso, Conselheiro, Deus Forte, Pai da Eternidade, como dizem as Escrituras. Vamos, Jônatas, vamos depressa até Belém e vejamos isto que o Senhor nos fez saber.
JÔNATAS – Sim, vamos! Agora vejo a beleza do céu. Lá está uma bonita estrela e parece que nos indica o caminho. Vamos segui-la. (Saem.)
PEDRO – (Entrando) Mas não foram só os pastores que seguiram o brilho da estrela do Oriente. Os magos também o se-

guiram, e muitos outros... Eu, Pedro, vi também o brilho dessa estrela no olhar do Nazareno. Eu estava um dia no mar da Galiléia com André, meu irmão, quando Jesus nos chamou para que deixássemos as redes e o seguíssemos. Deixaríamos de ser pescadores de peixes para sermos pescadores de almas. Nós o seguimos imediatamente na maior e mais importante missão que já se teve conhecimento – a missão de conduzir as almas para o céu. Dou continuamente graças a Deus por ter sido testemunha dos grandes milagres operados por Jesus, tais como a multiplicação dos pães e peixes. Eu testemunhei também como Ele fazia os cegos enxergar, os paralíticos andar... e tantos outros prodígios de que falam as Escrituras. Outrossim, estive com o Mestre no monte da Transfiguração e vi quando o seu rosto resplandeceu como o sol e as suas vestes se tornaram brancas como a luz. Eu não queria mais sair dali, e lembro-me de que disse: "Senhor, é bom estarmos aqui; façamos, se queres, três tabernáculos: um para ti, um para Moisés e um para Elias. E eu ainda estava falando quando uma nuvem muito luminosa os cobriu, e da nuvem saiu uma voz que dizia: Este é o meu amado Filho em quem me comprazo, escutai-o!". (Aponta para o público.) Sim, escutai-o, pois ainda hoje fala no meio de vós. (Sai.)

MARIA – (Entrando) Sou Maria, irmã de Marta e Lázaro. Jesus foi sempre o nosso melhor amigo. (Sorri.) Grande alegria nos enchia os corações quando o tínhamos em casa. Eu imediatamente deixava tudo para poder ouvir suas palavras, que continham sempre grandes ensinamentos. (Triste.) Um dia, nossa casa foi invadida pelo sofrimento, quando Lázaro, meu irmão, morreu. (Sorrindo.) Mas, aleluia! Quando Cristo está por perto a morte é vencida; e Jesus o ressuscitou. Esta grande lição ficou para a humanidade: Quem crer em Jesus Cristo ainda que esteja morto viverá, pois Ele é a ressurreição e a vida. Assim, o Natal começa na terra e será eterno no céu! (Sai.)

PAULO – (Entrando) Sou Paulo, o apóstolo. Sei que muitos já ouviram falar a meu respeito e de como fui transformado a partir do meu encontro com Cristo no caminho de Damasco, cidade para onde eu me dirigia, cheio de terríveis planos contra os cristãos. Meu nome até então fora Saulo, nascido em Tarso. Uma cidade belíssima e centro intelectual do Oriente. Eu, que me julgava um homem corajoso e leal a Deus, estava agindo contra o próprio Filho de Deus, o Cristo, nascido na manjedoura, em Belém. Mas, já perto de Damasco, vi uma enorme luz que me cegou, e ouvi uma voz que me dizia: "Saulo, Saulo, por que me persegues?". Era Jesus quem me falava e eu fiquei cego por três dias até que o Senhor enviou Ananias para sobre mim impor as mãos... e eu voltei a ver. Cada vez mais convicto da grande verdade, decidi pregar o Evangelho sem nada temer, embora passasse por muitos perigos, perseguições e prisões. Nada, porém, foi capaz de deter os meus passos na determinação de espalhar as boas novas. Portanto, amados, que nada os separe do amor de Deus que está em Cristo Jesus: nem angústia, nem tribulação, nem perseguição, nem fome, nem perigo de espada. Nem mesmo a altura ou a profundidade, pois em todas estas coisas somos mais do que vencedores por aqUele que nos amou! (Sai.)

SAMARITANA – (Entrando pela porta principal com um jarro no ombro) Sou a mulher samaritana. Certo dia em que, na minha cidade, Samaria, eu apanhava água no poço de Jacó, vi que o Mestre Jesus se aproximava. Ele, cansado do caminho, sentou-se junto à fonte. Pediu-me então que lhe desse água; muito estranhei que falasse com uma samaritana, pois os judeus não se davam com os samaritanos. (Sorri.) Mas Jesus era diferente. Aproveitando a oportunidade, Ele me disse que qualquer que bebesse daquela água voltaria a ter sede, mas o que tomasse da água da fonte da vida jamais teria sede. Ele esclareceu as minhas dúvidas e disse ser o Cristo. Convencida para sempre das verdades que Ele ensinou (deixa o jarro no chão), deixei depressa o meu cântaro e saí a anunciar a todos que fossem ter com o Cristo, o Messias esperado das nações. Oh! Que hoje esta igreja se transforme em uma fonte que salta para a vida eterna, em Cristo Jesus. (Sai.)

LÍDIA – (Entrando, saúda com a mão para o alto) A paz seja com todos. Sou Lídia, da cidade de Filipos da Macedônia. Passei a ver o brilho da estrela que conduzia a Cristo após a pregação de Paulo, que tivera do Senhor uma visão para que passasse à Macedônia. Eu estava juntamente com as outras mulheres na beira de um rio muito cristalino, quando ele, Paulo, começou a falar de Jesus. O meu coração foi imediatamente tocado pela verdade do Evangelho e converti-me ali mesmo... e era um lugar belíssimo! Após batizar-me, coloquei a minha casa à disposição dos discípulos para o trabalho do Senhor e passei também a anunciar o Evangelho que transforma vidas. Quando colocamos os nossos lares a serviço de Deus, sempre é dia de Natal, do verdadeiro Natal em nossas famílias e em nossos corações! (Sai.)

MOÇA CRISTÃ – (Entrando pela porta principal) Meu nome é bastante comum, como tantos outros. Membro de uma igreja evangélica, faço parte do coral e ensino as crianças na Escola Dominical. O brilho da estrela do Oriente alcançou-me também hoje, no século das grandes descobertas científicas e das conquistas espaciais. Hoje temos os folhetos evangelísticos, e as estações de Rádio e TV para anunciarmos o Evangelho. Salva em Jesus Cristo, faço tudo o que posso para testemunhar do seu grande amor para conosco. Mas o meu "tudo" é nada nesta grande obra que exige muito mais de mim e de todos nós. O meu pedido a Deus, neste momento, é que possamos levar ao mundo tão desesperado as alegrias de um Natal que em nada se pareça com esse que os anúncios coloridos estão a propagar. O melhor Natal começa na manjedoura, em Belém, com o nascimento do menino-Deus que veio trazer a maior esperança para a humanidade: a esperança de vida eterna. Feliz Natal para todos, mas com Cristo no coração! (Voltam todos à cena e fazem um semicírculo à frente.)

TODOS – Glória a Deus nas maiores alturas e paz na terra... paz na terra e muita alegria, pois nasceu o Redentor, que é Cristo, o Senhor!

(De mãos dadas, cantam o hino 28, do Cantor Cristão, 1ª, 2ª e 5ª estrofes.)

O Dia da Esperança

Introdução

Os noticiários de rádio e televisão continuam a levar para dentro de nossos lares a dramática situação dos moradores das áreas das secas. São imagens da terra esturricada, das árvores ressecadas, do gado que morre pelas estradas, e das vidas que são dolorosamente ceifadas pela fome e pela sede.

Ainda assim, açoitados pela seca, muitos homens e mulheres teimam em não abandonar o pedaço de terra árida a que tanto amam. Além do mais, os retirantes do Nordeste não encontram hoje nas cidades empregos que lhes ofereçam melhores perspectivas de vida, como ocorria há algum tempo. Atualmente, os grandes centros estão superpovoados e a fome é o fantasma que ronda também as importantes cidades do país.

O que fazer então? É o que se questiona em âmbito nacional. Todo brasileiro precisa estar voltado para as necessidades dessa área tão carente da nossa terra.

Você, meu irmão, talvez não possa fazer muito por uma família pobre em Amanari, sertão do Ceará. Mas quem sabe não poderia ajudar os vizinhos do lado que no dia de Ano-novo não têm ao menos o leite em pó para o filhinho menor? E o que é pior, talvez eles tenham o coração vazio de esperanças.

O que fazer? Veja o que fez Marialva em "O Dia da Esperança".

(A história se passa em Amanari, Ceará, no ano de 1983.)

"Porque, ainda que a figueira não floresça, nem haja fruto na vide; o produto da oliveira minta, e os campos não produzem mantimento; e as ovelhas da malhada sejam arrebatadas, e nos currais não haja vacas... Todavia eu me alegrarei no Senhor; exultarei no Deus da minha salvação".

Personagens: Das Dores, a mãe; Socorro, a filha; José, o pai; Tobias, o filho; Marialva, a moça crente.
Cenários – Imagináveis em algumas cenas, mas, na casa, um banco e mesa toscos.
Música e iluminação – À escolha do grupo.
Indumentária – A família deverá vestir-se o mais pobremente possível. José e Tobias, voltando do trabalho, terão as roupas sujas de terra. Marialva vestirá roupas limpas, porém muito simples. No quadro final todos vestirão túnicas verdes e as mulheres usarão flores nos cabelos.
Acessórios – Uma bolsa cheia de mantimentos (após a peça, será oferecida pelo grupo a uma família pobre); uma Bíblia e um cesto de vime cheio de peixinhos feitos de cartolina.

(No início da peça, estão em cena Das Dores e Socorro. Das Dores costura uma roupa velha, e Socorro anda de lá para cá, olhando a platéia, que é a estrada, com a mão em pala sobre os olhos.)

DAS DORES – (Vendo a ansiedade da filha) Socorro, minha filha, que tanto nervosismo é esse?
SOCORRO – Estou preocupada com o pai e Tobias, que não aparecem na estrada.
DAS DORES – José me disse que chegariam mais tarde hoje.
SOCORRO – Mas logo hoje? Logo será o dia de Ano-novo.
DAS DORES – (Triste) Ano-novo... e o sertão sabe lá o que seja Ano-novo? Todos os anos aqui são iguais: incertezas, fome, seca!
SOCORRO – (Ajoelhando-se próximo à cadeira em que está sentada a mãe, toca em suas mãos, carinhosamente.) Fica assim não, mãe! As coisas ainda melhoram um dia, a senhora vai ver!

DAS DORES – (Levantando-se – a filha também fica de pé) Você e sua mania de ter esperança, Socorro! Vamos, vamos lá na cacimba me ajudar a ver se consigo um pouco de água para o pirão de farinha.
SOCORRO – Ainda temos daquele peixe seco, mãe?
DAS DORES – Não. Agora tudo o que temos é um pouco de água e a farinha que sobrou de ontem. (Angustiada.) Será a nossa ceia do Ano-bom, minha filha.
SOCORRO – (Disfarçando a tristeza) Amanhã eu vou ao mercado da cidade e...
DAS DORES – (Cortando) Fazer o quê, filha? Não temos dinheiro. Seu pai já não recebe há três meses, e amanhã é feriado.
SOCORRO – (Não se deixando abater) Vamos, minha mãe. Eu ajudo você a fazer o pirão. (Saem.)

(Entram José e Tobias pela porta principal, e de frente para o público começam a dialogar.)

TOBIAS – (Limpando o suor do rosto com a mão) Estou cansado, pai. Hoje caminhamos mais do que nunca.
JOSÉ – Sim, mas tínhamos de fazer tudo para procurar um lugar melhor para plantação.
TOBIAS – (Neste ponto já alcançam o lugar ligeiramente mais elevado onde é a "casa") Mas nada encontramos. Foi um dia só de inutilidade. A terra é ruim, pai.
JOSÉ – A terra é boa, Tobias. A seca é que estraga o chão.
TOBIAS – (Sorrindo ligeiramente, como se visse a chuva) Verdade... Quando chove fica tudo tão verdinho! Parece que a terra se veste de festa.
JOSÉ – Pois então! Não chove há mais de cinco anos... não se pode pedir tanto da terra.
TOBIAS – (Como decidido) Pai, por que a gente não larga tudo aqui e vai pra cidade grande?
JOSÉ – Não, filho. Não podemos abandonar Amanari, onde nasceram meus pais, vocês... (Triste.) E mesmo assim, Tobias,

como a gente poderia ir? Não temos dinheiro, nem transporte, nem nada! Vamos ficar e esperar a chuva.
TOBIAS – (Desesperado) Esperar! Até quando, pai?... Até morrer de fome?
JOSÉ – (Abaixando-se faz como se apanhasse um pouco da terra) Isto é nossa terra Tobias. Um homem não deixa sua terra! (Levanta-se.) Além do mais (Limpa as mãos nas calças.), na cidade grande também medra a fome. (Para aliviar a conversa.) Mas onde estão Socorro e sua mãe? (Chama:) Das Dores! ô Das Dores!
DAS DORES – (Entrando) Sim, eu estou aqui. Mas que bom que chegaram. Consegui um pouco de água na cacimba pra fazer o pirão! Ainda sobrou um tantinho pra mode vocês refrescarem o rosto.
JOSÉ – E onde está Socorro?
SOCORRO – (Entrando) Aqui, pai, sua bênção. (Beija a mão do pai e olha para Tobias que parece angustiado.) Mas que cara é essa, Tobias?
TOBIAS – Nada não. (Pequena pausa.) Ora, sabem de uma coisa? Eu falei com o pai que nós deve ir pra cidade grande.
DAS DORES – Que sonhos são esses, filho? D. Anunciada, que tem rádio, ouviu na notícia que as cidades estão cheias de gente sem emprego: tudo miséria.
TOBIAS – (Desesperado) Então vamos fazer o quê? Esperar morrer... de braços cruzados?
JOSÉ – Nós não estamos de braços cruzados. A gente trabalha, e muito, filho.
TOBIAS – Mas não adianta. Cavoucamos a terra que continua ingrata, não dando nada em troca do nosso trabalho. Já não tenho esperança, nem coragem de continuar.
JOSÉ – Esqueça, Tobias, a melhor coisa é esquecer os pensamentos que maltratam a gente.
SOCORRO – (Sorrindo) E amanhã é dia de Ano-bom. Quem sabe não melhoram as coisas?
DAS DORES – Quem sabe?... quem sabe?... (Pai e filho se entreolham.)

JOSÉ – (Triste) Gostaria que a nossa ceia de Ano-bom fosse melhor. Não falo por mim, mas por vocês.
TOBIAS – (Revoltado) Aí está a verdade, pai. Tudo acabou e o pior é quando a tristeza toma conta da gente, como agora. (Batem palmas à porta.)
DAS DORES – Ora vejam. Quem será? Nós nunca recebemos visitas... (Abre a porta imaginária.)
MARIALVA – (Com uma bolsa de mantimentos num braço e a Bíblia em outro) Boa-tarde! Posso falar com a senhora?
DAS DORES – Claro. Entre, moça.
MARIALVA – Obrigada, muito obrigada. Bem, meu nome é Marialva, sou membro de uma igreja evangélica em Fortaleza.
SOCORRO – Fortaleza? Mas o que está fazendo no sertão, moça?
MARIALVA – Sou evangelista... mas como é o seu nome?
SOCORRO – É Socorro.
MARIALVA – Pois bem, Socorro, eu estava com um grupo de trabalho e resolvemos nos dispersar, cada um indo para uma casa diferente.
JOSÉ – Senta aí, moça. Só que não temos coisa boa para oferecer.
MARIALVA – (Levantando-se, sorri) Mas por favor, não se preocupem. Eu vim para falar-lhes de Jesus Cristo.
TOBIAS – (Aborrecido) Falar de Jesus Cristo?
MARIALVA – Sim, de Jesus, que pode tornar novos os nossos corações.
DAS DORES – Coração novo?
MARIALVA – Isto mesmo, Jesus quando entra em nosso coração, pode deixá-lo renovado: um coração triste e desesperado pode transformar-se e ficar cheio de alegria, fé e esperança na vida eterna.
SOCORRO – E o que é vida eterna, moça Marialva?
MARIALVA – É simples: quem aceita Cristo no coração, só passa pela morte física, pois a alma viverá para sempre com Deus, lá no céu.

TOBIAS – (Andando de lá para cá ansioso) Então é mesmo verdade que há uma vida melhor lá no céu?
MARIALVA – Claro que sim! A Bíblia é a Palavra de Deus e ela não mente. (Levanta-se.) Veja o que diz aqui em João 11.25: "Disse-lhe Jesus: Eu sou a ressurreição e a vida e quem crê em mim, ainda que esteja morto, viverá".
DAS DORES – Que bonito, não é José? Eu não sabia que nesse livro tinha tanta coisa bonita.
MARIALVA – Se me permitem, eu vou orar para que hoje o Senhor traga salvação a esta casa.
JOSÉ – Mas é claro, moça, pode orar sim.
MARIALVA – (Ajoelha-se, no que os demais, timidamente, a imitam.) Ó Deus, louvado e engrandecido seja o seu santo nome, para sempre! Muito obrigada porque tenho a alegria de estar aqui neste lar, juntamente com esta família, para falar das boas novas de salvação. Que hoje possa ser um dia diferente de todos os outros dias na vida de cada um dos que aqui estão! Que, aceitando o teu Filho Jesus Cristo, eles possam viver eternamente! Em nome de Jesus. Amém.
TOBIAS – (Ainda de joelhos, levanta o braço, encabulado) Estou arrependido dos meus pensamentos e quero aceitar Jesus, que dá vida eterna no céu.
MARIALVA – (Levantando-se e sendo imitada por todos) Mas que ótimo! (Cumprimenta-o.) Foi a melhor coisa que você já fez em sua vida...
TOBIAS – Meu nome é Tobias.
MARIALVA – Tobias, eu estou muito feliz por você. (Olha para os outros.) E vocês, também aceitam a Jesus em seus corações?
DAS DORES – (Limpando uma lágrima com o dedo) Sim (Levanta o braço.), eu aceito, porque quero ir para o céu.
SOCORRO e JOSÉ – Eu também! (Sorriem por terem falado juntos e se abraçam.)
MARIALVA – Ah! Vocês não podem imaginar como estou contente! E no céu, os anjos estão muito mais felizes do que eu, sabem? Novamente cumpre-se aqui a palavra do Senhor

que diz: "Crê no Senhor Jesus e serás salvo, tu e a tua casa". Obrigada pelo carinho de vocês e agora eu preciso ir andando que... (Lembra-se.) Ora, mas eu já ia esquecendo. (Pega a bolsa e entrega para Das Dores.) Eu trouxe alguns mantimentos, espero que não reparem.

DAS DORES – (Tímida) Reparar nada, Marialva, nós agradecemos, de todo o coração.

MARIALVA – Estes mantimentos são a contribuição dos irmãos da igreja em Fortaleza. Eles cooperam com todo o amor para as famílias aqui do sertão.

JOSÉ – É... são gente de Deus mesmo. Olha, Das Dores, essas compras a gente divide com a família de Severino, que tem muita criança pequena.

DAS DORES – (Sorrindo) Mas não é que eu estava pensando o mesmo? Olha, Marialva, muito obrigada porque agora a nossa vida vai ficar diferente.

MARIALVA – Eu queria dizer-lhes ainda que a nossa igreja faz uma obra social que vai indo muito bem, graças a Deus, e por isso procuraremos continuar mantendo contato com vocês e continuaremos também enviando o que for possível.

TOBIAS – (Envergonhado, mas decidido) A gente não quer ficar sendo um peso, moça.

MARIALVA – Mas não serão peso nenhum, Tobias; é nosso dever. E logo que puderem plantar e colher, suspenderemos a ajuda.

JOSÉ – Sim, só até chover. Quando chove, moça Marialva, fica tudo verdinho de dar gosto!

SOCORRO – O verde da esperança, não é mãe? (Das Dores ri, alegre.)

MARIALVA – Pois então até breve. Prometo vir visitá-los o mais rápido possível, porque temos muito o que aprender sobre a Palavra de Deus.

SOCORRO – Pois venha sim, Marialva, e não demore!

MARIALVA – Já vou indo, então. Olhem, feliz Ano-novo para todos! (Cumprimenta um a um e beija no rosto as mulheres, saindo, a seguir, pela platéia.)

TODOS – (Acenando para Marialva) Feliz Ano-novo, Marialva!
SOCORRO – (Logo que ficam sós) Feliz Ano-novo, mãe, pai, Tobias...
JOSÉ – Feliz Ano-novo! (Ajoelha-se e a família o acompanha.) Obrigado, meu Deus, porque conhecemos hoje o teu Filho Jesus Cristo. Obrigado pela moça Marialva que veio de tão longe falar para nós. Agora sabemos que o Ano-novo será um ano bom, porque temos Jesus no coração e estamos cheios de esperança! Amém. (Todos repetem: "Amém" e permanecem alguns segundos ajoelhados em estático.)

(Trazem para a cena as túnicas verdes e as vestem, sobre as roupas que usavam, uns ajudando os outros, sorridentes. Das Dores e Socorro colocam flores nos cabelos, uma ajudando a outra. Vestidos de esperança, colocam-se todos de frente para o público, sorridentes.)

JOSÉ – A família do Nordeste, de verde ficou vestida, pois da moça Marialva nunca ficou esquecida.
DAS DORES – O verde dá muita esperança; cor bonita do sertão, depois que a chuvinha cai...
TOBIAS – Alegrando o coração!
SOCORRO – (Dando a mão a Tobias) O verde lindo dos campos, dos arvoredos; o verde dos mares!
TODOS – (De mãos dadas) O verde dos mares de onde saem os peixes,
DAS DORES – (Dá um passo à frente) que o Mestre multiplicou.
JOSÉ – Isso quando Jesus chegou lá no mar de Tiberíades,
TOBIAS – (Dirigindo-se à frente) seguido da multidão que sabia dos sinais que Cristo ali operava...
SOCORRO – (Indo à frente) Mas Ele se preocupava com a fome daquela gente.
JOSÉ – "Onde compraremos pão para eles?", Jesus dizia...
DAS DORES – E André, prontamente respondia: "Existe aqui um menino com cinco pães e dois peixes... mas isso é tão pouco!".

TODOS – (Juntando-se a José) Pouco, mas não para o Mestre que sabia o que fazia.
SOCORRO – (Imitando o gesto de repartir muitos peixes e pães) Pois tomando os peixes e os pães logo os multiplicou!
JOSÉ – Jesus curou os enfermos, mostrou o caminho do céu, e a fome saciou.
TOBIAS – (Dirigindo-se bem mais para próximo do público) É, pois, trabalho do crente, a Jesus anunciar.
TODOS – Mas procurando lembrar que o povo também tem fome!
SOCORRO e JOSÉ – (Abraçados) Na cidade grande, debaixo das pontes...
DAS DORES – E onde todos já sabem: lá longe, no meu sertão!
TODOS – (Cada um fazendo gesto com as duas mãos como quem cumprimenta de longe) Feliz Ano-novo, então, que trabalho, meu irmão, para o crente é o que nunca falta!

(Saem pela platéia distribuindo do cesto os peixinhos de cartolina. Ao distribuírem vão desejando Feliz Ano-novo, sorrindo.)

A Viúva Pobre

Personagens: Jade, a viúva; Lis, uma amiga; Josué, esposo de Lis; Elias, o médico da aldeia.

Voz Oculta – Poderá ser feita por um componente que não esteja em cena, caso não seja possível incluir mais um.
Cenários – Uma sugestão é que o espaço cênico tenha apenas quatro bancos rústicos.
Indumentária – Túnicas compridas e mantos arrumados de modo criativo. À exceção de Jade, que deverá vestir-se de modo muito pobre; os demais poderão usar um tecido como o cetim, que é bastante vistoso. Usar sandálias rústicas.
Acessórios – Papel branco, tendo nas extremidades um arranjo com madeira cortada, roliça, para imitar os antigos rolos de pergaminho. Um tecido de cor viva que cobrirá um dos bancos numa das cenas. Uma bolsa feita de tecido (pequena) e duas moedas.
Iluminação – Além das instruções, que deverão ser seguidas, o grupo poderá criar outras colocações.
Música – À escolha do grupo ensaiador.

(No começo da peça, Jade está em cena lendo as Escrituras. Em seguida batem à porta e ela vai atender.)

JADE – Mas é a minha querida Lis! Entre! Entre minha amiga!
LIS – (Ao ver o rolo de pergaminho) Mas você estava lendo e eu vim interrompê-la...
JADE – Nada disso; recebê-la é também um prazer.
LIS – E o que estava lendo, Jade?

JADE – As Escrituras. Cada vez que as leio mais me convenço das verdades eternas.
LIS – Antes você lia os filósofos... Por que mudou agora?
JADE – Oh! Os filósofos! Eles têm a sua importância histórica, mas não satisfazem a alma. As Escrituras sim, falam do Deus vivo e de seu Filho Jesus... que já está entre nós!
LIS – O que diz, Jade! Acho que as muitas leituras estão deixando você impressionada.
JADE – (Sorrindo) Não é apenas isto, Jesus Cristo está verdadeiramente entre nós e tenho ido ouvi-lo sempre no templo.
LIS – Eu admiro sua coragem, Jade. Você é uma mulher viúva, cansada e doente e mesmo assim arranja forças para caminhar tanto! O templo é muito distante daqui, não?
JADE – (Ainda sorrindo) Sim, muito distante. (Na boca de cena.) Costumo caminhar quase um dia inteiro para ir ouvir o Mestre. Mas não me canso. Quem pode cansar-se quando sabe que ao final do caminho irá ouvir palavras de amor e perdão?
LIS – (Aproxima-se de Jade) Diga-me a verdade, minha querida, como está conseguindo sustentar-se?
JADE – (Séria) Ora, como você sabe, lavo as roupas da gente da cidade, no rio.
LIS – Mas agora precisará deixar este trabalho, não é? Sei que está com uma séria enfermidade no coração.
JADE – Mas como soube? Eu não queria deixá-la preocupada!
LIS – O médico da aldeia contou-me e pediu ainda que a aconselhasse a não fazer mais caminhadas tão longas para a cidade.
JADE – O nosso médico da aldeia é mesmo um bom homem, mas creio que tudo não passa de preocupações exageradas da parte dele. O que sinto não deve ser tão grave que me impeça de ir ouvir as palavras do Cristo.
LIS – (Abre uma pequena bolsa de tecido e retira duas moedas que dá para Jade.) Tome. Sei que tem passado sérias necessidades, agora que não pode mais trabalhar. Vi o cesto na cozinha e não havia mais nem um pedaço de pão. Compre coisas para alimentar-se, Jade.

JADE – (Abraçando a amiga) Minha querida! Muito obrigada pela demonstração do seu amor para comigo; saiba que não esquecerei nunca o quanto tem feito por mim.
LIS – Isso não é nada. Agora preciso ir. Josué, meu marido, já deve ter voltado do seu trabalho no campo.
JADE – Lis, que Deus a recompense.
LIS – (Saindo) Obrigada. (Da porta.) Não esqueça de comprar frutas e pão. Você está doente e precisa cuidar-se bem.
JADE – Sim, sim, pode deixar. (Após a saída de Lis.) Duas moedas! É justamente o que eu precisava para a minha contribuição. É a minha oferta para o sustento da obra! Oh! Que alegria! As minhas orações foram ouvidas. (Ajoelha-se.) Obrigada, grande Deus, pois sabes o quanto eu ansiava em poder depositar a minha oferta na arca do tesouro. Obrigada, porque estas moedas irão cooperar no prosseguimento do teu serviço aqui na terra. (Quadro estático.)

(Apagam-se as luzes e Jade sai. Depois aparecem Josué e Elias em cena, que conversam em voz inaudível até a entrada de Lis, pela porta principal.)

JOSUÉ – Lis, finalmente chegou. Já estávamos preocupados.
LIS – Mas que surpresa, é o Dr. Elias.
ELIAS – Vim incomodá-los com o meu pedido para que possa construir em sua propriedade um pequeno posto médico. Como sabem, tenho a idéia de colocar em diversos pontos, nas aldeias, pessoas que possam atender aos enfermos, que são tantos.
JOSUÉ – Eu já disse a ele, Lis, que estamos de acordo. Sei que este trabalho é de seu interesse também.
LIS – Sim, preocupo-me com tantos doentes espalhados por aí, sem atendimento de nenhuma espécie. Mas, como conseguirá o doutor tantos médicos?
ELIAS – Infelizmente, não temos outros médicos. Como sabem, a maioria dos médicos prefere trabalhar nas cidades e não com a gente do campo. Mas darei ensinamentos a pessoas

interessadas em tratar dos doentes. Elas farão curativos, darão instruções às mães de como evitar doenças em casa, coisas assim...

JOSUÉ – A idéia é mesmo excelente e eu e Lis gostaríamos de ajudar.

LIS – Claro que sim. Hoje estive em casa de Jade, a viúva, e comoveu-me o seu estado de penúria. Como gostaria que ao menos ela tivesse saúde!

ELIAS – Infelizmente, pouco podemos fazer a não ser cuidar do seu sustento, pois sua enfermidade é incurável. Acredito que só mesmo sua grande fé ainda a mantém viva.

JOSUÉ – Lis foi levar-lhe hoje uma pequena ajuda de nossa parte. Mas sabem? Acho que é mesmo uma mulherzinha teimosa! Por que afinal não sossega um pouco em casa e descansa?

ELIAS – (Rindo) Sim, eu soube que costuma dar cansativas caminhadas para ir ao templo ouvir um certo Jesus...

JOSUÉ – Que dizem ser o Filho de Deus? Ela está se afadigando em vão. Não creio que este seja o Cristo. Dizem que é filho de um carpinteiro; vejam só!...

LIS – (Boca de cena) Não sei, mas ela fica muito alegre sempre que o vê. Aliás, Jade é uma mulher feliz, embora muito pobre e doente.

ELIAS – Eu não sei como pode ser isso, confesso. Cuido de pacientes que por problemas muito menores vivem angustiados, parecendo que a vida já se acabou para eles.

JOSUÉ – Eu também admiro a coragem de Jade, embora ache que ela está sendo enganada por esse que diz ser o Filho de Deus.

LIS – Mas Ele dá provas disso, me parece. Dizem que realiza milagres sem conta e expulsa os maus espíritos.

ELIAS – Já ouvi dizer. Dizem também que enormes multidões o acompanham aonde quer que vá.

JOSUÉ – Mas isso não é mais do que um alvoroço, que logo passará. (Para os dois.) O importante é que hoje a teimosa Jade tem o que comer.

ELIAS – Comer e descansar, é tudo o que ela precisa. (Apagam-se as luzes e os três saem de cena.)

(Ainda sob luzes apagadas, cobrir com o tecido um dos bancos, até as barras tocarem o chão.)

VOZ OCULTA – "Mas está escrito que nem só de pão viverá o homem, mas sim de toda a palavra de Deus". (Acendem-se as luzes.)

(Jade, a viúva pobre, entra e deposita na arca do tesouro as duas moedas que seriam para o seu sustento, acumulando assim tesouros no céu, onde nem a traça nem a ferrugem corroem.)

VOZ OCULTA – "E, estando Jesus assentado defronte da arca do tesouro, observava a maneira como a multidão lançava ali o seu dinheiro. Vindo, porém, uma pobre viúva, deixou ali duas pequenas moedas. E chamando Jesus os seus discípulos, disse: Em verdade vos digo que esta pobre viúva deixou na arca do tesouro mais que todos os outros, pois da sua pobreza ali colocou tudo o quanto tinha, todo o seu sustento!". (Apagam-se as luzes e Jade sai de cena. Retirar o banco recoberto.)

(Após acenderem-se novamente as luzes, entra Lis amparando Jade, que anda com dificuldade, cansada e doente.)

LIS – (Ajudando-a a sentar-se num dos bancos) Pronto, agora que está alimentada e conseguiu levantar-se um pouco, fique perto desta janela para respirar o ar que vem dos campos.

JADE – (Com um sorriso fraco) E ver o pôr-do-sol, não é? Olhe, Lis, como Deus está pintando de novo todo o céu. Eis que o Senhor volta a alegrar a terra com os matizes tão lindos e variados. Veja a obra das mãos de Deus, não é lindo? (Fala apontando o sol ao longe.)

JOSUÉ – (Entrando com Elias) Como está, Jade? Afinal, aceitou o caldo?

ELIAS – Vamos ver o pulso. (Toma-lhe o pulso.) Um pouco melhor. Mas não deve abusar com as suas caminhadas, heim?

JADE – (Levantando-se com dificuldade, mas decididamente) Ora, doutor, sinto não poder prometer. Como deixar de ver e ouvir o Filho de Deus, desse mesmo Deus que tanto amor demonstra por mim? Vocês, com sua amizade, são prova do cuidado do Senhor para comigo.
ELIAS – Isto de falar de Deus é muito bonito, Jade, mas você precisa repousar, senão...
JADE – (Sorrindo) Senão...
ELIAS – Bem, poderá... poderá perder a vida.
JADE – (Com o mesmo sorriso) Morrer? E o senhor pensa que eu tenho medo da morte, doutor? Claro que não! Morrer é estar com Deus, para sempre. Veja o que dizem as Escrituras no livro de Isaías. (Pega o manuscrito e lê.) "Verdadeiramente ele tomou sobre si as nossas enfermidades, e as nossas dores levou sobre si...". Sabem de quem fala o profeta Isaías? De Jesus! E quem crê em Jesus não teme as enfermidades nem a morte. Não é maravilhoso?! Oh! Por que não aceitam a Cristo, o Filho do Deus vivo? Heim, Lis, Josué, Dr. Elias... Da próxima vez poderão ir comigo ouvi-lo de perto.
LIS – (Tímida) Sim, eu quero conhecer esse Jesus que tanto ânimo e alegria coloca em sua vida. E eu também o aceito em meu coração.
JOSUÉ – (Dando um passo à frente) Eu também o aceito! Quem poderia rejeitar palavras com tamanho poder, que só podem vir do céu? Quero conhecer mais e mais a Jesus, que agora sei que é mesmo o Filho de Deus, pois entrou em minha alma, para sempre.
JADE – E o senhor, Dr. Elias?
ELIAS – Não... isto é, eu não sei. Além do mais, tenho tantos doentes para cuidar...
LIS – O senhor poderá cuidar melhor deles conhecendo a Cristo.
ELIAS – Não, não agora. E se me permitem tenho de partir. Preciso ainda hoje realizar uma operação. Adeus. (Despedem-se.)
JOSUÉ – (Após a saída de Elias) Que pena me dá o Dr. Elias! Ele pensa que a ciência responde a todos os problemas...

JADE – Quando a solução só está em Cristo Jesus.
LIS – Um dia ele também será alcançado pelo amor do Mestre. E este será o nosso trabalho: fazer que todos conheçam a Jesus – os médicos, os filósofos, os trabalhadores do campo, as mulheres simples, as crianças, todos!
JOSUÉ – Sim, agora que nossos olhos foram abertos para a estrada que conduz ao céu, temos de mostrá-la a outros.
LIS – Não podemos deixar de falar muitas vezes mais ao Dr. Elias. E a você Jade, obrigada pelo seu testemunho que nos conduziu a Cristo.
JADE – É meu dever, querida, para a continuação desta obra que jamais deve ser interrompida. Alegro-me que estejam também cientes de suas novas responsabilidades. Agora nada de desânimo: há muito o que fazer.
JOSUÉ – Vou agora mesmo à casa do Dr. Elias. (Sai em silêncio.)
Lis – E eu vou falar com as mulheres que lavam roupas no rio. (Sai em outra direção, em silêncio.)
JADE – E eu vou consertar novamente as minhas sandálias, que já estão precisando de reparo. Há muito o que caminhar e ainda hoje quero voltar ao templo. Até breve, Lis! até breve, Josué! (Fica em estático, segurando a sandália na mão.)

Glossário

Apresentação – Ato de expor, de apresentar uma peça.

Arena – Lugar geralmente em forma de círculo. Lugar de debate. A representação em arena é um movimento que visa tirar o grupo teatral do palco e colocá-lo mais próximo do público. Os evangélicos podem fazer um bom teatro de arena representando nas ruas as suas peças de evangelismo. O grupo se colocará ao centro, e os que assistem, em volta.

Assiduidade – O mesmo que pontualidade. Trata-se de qualidade indispensável a quem deseja integrar um grupo de representações.

Ato – Ação; obra; divisão de uma peça teatral.

Autor – Escritor de uma obra literária como o são as peças de dramatização.

Bastidores – Cada uma das decorações laterais de um palco; intimidade do grupo teatral antes de entrar em cena.

Boca de Cena – Diz-se da posição em que aquele que está dramatizando fica, em lugar destacado; à frente dos demais do grupo e bem mais próximo do público.

Camarim – Pequeno compartimento onde os componentes da peça se caracterizam.

Cena – Divisão do ato de uma peça, arte dramática.

Cenário – Decoração para uma peça de teatro. Hoje, com os avanços alcançados na arte teatral, os cenários foram quase abolidos, em conseqüência dos gastos que acarretam. Em nossas igrejas são também dispensáveis, uma vez que assim evitamos modificar a arrumação habitual do templo. Com os *cenários imagináveis*, os componentes da peça poderão fazer com que o público "veja" coisas maravilhosas, como altas montanhas, vales verdejantes, o mar, etc. Esta técnica tem-se mostrado de tal maneira criativa e eficiente, que hoje já se dispensam os cenários pintados, os quais, entre outras coisas, encobrem a atuação dos atores. Diante de um enorme cenário pintado, as personagens parecem muito pequenas e perdidas. Naturalmente, utilizam-se o cenário imaginável, as personagens terão de ser muito bem representadas, pois acima de tudo precisarão mostrar ao público o lugar onde a cena se está passando. Um famoso dramaturgo moderno revolucionou a arte teatral com a técnica do teatro pobre, despojado, contando unicamente com o rosto e o corpo daqueles que interpretam.

Colagem – Diversas cenas, geralmente curtas e sobre assuntos variados, numa só apresentação.

Comédia – Peça de teatro em que predominam cenas engraçadas; não confundir, portanto, com o drama.

Coringa – Técnica em que um só ator faz diversos papéis numa só peça. Esta técnica é muito importante porque, além de exigir um excelente nível de dramatização do componente do grupo, evita que sejam necessárias muitas pessoas numa apresentação, o que costuma acarretar dificuldades para o grupo, como seja, reunir todos para os diversos ensaios. A criatividade do diretor de cena fará distinguir as peças em que seja possível utilizar a técnica de coringa. Neste livro temos algumas peças em que a manobra poderá ser perfeitamente utilizada.

Coro – Parte da igreja destinada ao canto. O coral poderá ser convidado, sempre que necessário, a participar das dramatizações. Para isso precisará ensaiar algumas vezes com o grupo.

Cortina – Tecido com que se resguardam janelas, portas e palcos. Os inovadores da arte teatral têm também abolido o uso das cortinas. Nas igrejas, mais do que em qualquer outro lugar, não convém usá-las para as representações, pois a sua utilização indevida modifica de modo desagradável a arrumação normal do interior dos templos. As mudanças de cenas e de atos podem ser feitas perfeitamente apagando-se as luzes e acendendo-as em seguida, ou ainda com a ajuda das cenas em estático (veja a seguir) o que dará a idéia de mudança de lugar, época, etc. Na necessidade da mudança de uma jarra de flores, de uma cadeira, etc., de um cenário para outro, os participantes poderão fazê-lo rapidamente e em silêncio sob as luzes apagadas. Cortinas, portanto, apenas as do batistério. Nas representações não mais são usadas.

Decorar – Aprender de cor; de memória. Para facilitar o ato de decorar o grupo poderá reunir-se em dias marcados unicamente para esse fim. Todos procurarão ler o texto o maior número de vezes possível e depois ficarão espalhados em absoluto silêncio, na sala de ensaios, memorizando os seus textos. Este é um meio de tornar mais fácil o difícil e cansativo ato de decorar, que é de vital importância para quem pretende encenar uma peça.

Deixa – Palavra que nos papéis dos atores indica que um acabou de falar e o outro vai começar. Assim, quando cada participante decorar seu papel, é indispensável que decore as deixas que antecedem às suas falas. Para melhor decorá-las sublinhe as três últimas palavras que ficam antes das suas. Quando as deixas não são decoradas, encontra-se grande dificuldade em entrar em cena no momento certo, e muitas vezes uma deixa esquecida coloca em risco a peça inteira.

Diálogo – Conversa entre duas pessoas. Obra literária em forma dialogada.

Dicção – Modo de dizer ou de pronunciar; expressão. A boa dicção é indispensável para o bom desempenho de um papel. Todas as palavras em cena devem ser ditas em bom som, sendo bem pronunciadas todas as sílabas. Se a personagem não fala bem, se engole parte das palavras, todo um texto fica seriamente comprometido.

Direção – Ação de dirigir. Para que uma peça saia a contento geral é necessário que a direção seja bem escolhida. Será preciso que a pessoa indicada para dirigir tenha alguns conhecimentos de arte; que seja um líder nato; que seja paciente, mas enérgico quando necessário. Naturalmente, todo o grupo deverá opinar sempre quanto ao bom andamento do ensaio, o que será sem dúvida proveitoso para todos. Cabe, no entanto, ao diretor (ou diretora) verificar se as sugestões serão válidas ou não. Unidos no mesmo propósito, o grupo saberá viver os dias do preparo da peça como dias de grande alegria e experiência para todos.

Disciplina – Conjunto de prescrições destinadas a manter a boa ordem em qualquer organização. Quando a disciplina falha num grupo as conseqüências, não raro, são lamentáveis. Naturalmente, não se exigirá dos componentes de uma peça uma disciplina tão rígida, que impeça um ambiente de amizade e alegria. Contudo, não se deve deixar que as risadas e brincadeiras fora de hora prejudiquem o bom andamento do trabalho a que o grupo se propôs. Mesmo em meio ao laboratório, exige-se a seriedade de quem prepara uma obra de arte. Imagine se o célebre pintor Renoir ficasse entregue a brincadeiras despropositadas enquanto trabalhasse. O mundo perderia, certamente, suas telas de grande beleza, que contribuíram de modo muito valioso para a história da arte e dos povos.

Drama – Peça de teatro com episódios comoventes. É preciso distinguir bem entre *drama* e *comédia*, pois todo o processo de preparo da peça é diferente. O drama, como costumamos representar em nossas igrejas, não trata de temas que façam rir. Se a igreja possuir um salão para recreação, a comédia poderá ser encenada em alegre reunião de sábado em que jovens, adultos e crianças poderão confraternizar. Naturalmente, toda a igreja deverá estar de acordo com a inciativa. Neste livro temos apenas peças dramáticas, que exigem bastante seriedade e firme disposição durante o preparo e apresentação.

Ensaio – Experiência; prova; estudo de uma peça de teatro.

Glossário

É comum encontrarmos nas igrejas pessoas entusiasmadas para realizar uma dramatização e é comum também que essas mesmas pessoas não compareçam depois aos ensaios, prejudicando, de modo bastante desagradável, todo um trabalho começado. Sem bons ensaios e sem o comparecimento de todos é impossível uma boa apresentação. Lamento já ter visto em igrejas representações inseguras em que, em meio a determinada cena, o participante do grupo retirava dos mais prosaicos lugares um papelzinho amarrotado e o lia apressadamente, pondo em sério risco a tranqüilidade dos demais participantes da cena. Freqüentes ensaios evitam fatos tão desagradáveis.

Entrar em cena – Momento em que o participante da peça entra no palco, mesmo que ainda não seja para falar, mas apenas compondo a cena. Aí também é indispensável o conhecimento certo da deixa que será o sinal para a sua entrada.

Estático – Firme; em equilíbrio; imóvel. As cenas em estático, que usamos várias vezes em nossas representações, servem para dar beleza às cenas das peças, uma vez que parecem quadros de arte, ou fotografias. Também servem para mostrar mudança de cenas, atos, épocas, etc. Nos laboratórios as cenas em estático devem ser bastante exercitadas, pois emprestam grande beleza e criatividade às peças.

Expressão – Gesto; viveza. As expressões corretas em cena formam num todo a perfeição da personagem. Também nos laboratórios as expressões de rosto e corpo devem ser continuamente exercitadas.

Face – Semblante; rosto. Diz-se que é o instrumento de maior importância daquele que interpreta um papel.

Fala – Parte do diálogo dito pelo componente de uma peça.

Grupo – Reunião combinada de pessoas. O grupo de representações de uma igreja pode ser reunido eventualmente.

Iluminação – Arte e técnica de iluminar uma peça. A pessoa incumbida da iluminação deverá estar sempre disposta a sugerir inovações em seu trabalho, que empresta grande beleza às dramatizações.

Impostação – Ato ou efeito de impostar a voz. Colocação e projeção da voz.

Improvisar – Inventar de repente; arranjar às pressas. Nos exercícios de improvisação (nos laboratórios) aprende-se o estímulo da criatividade e prepara-se para eventuais necessidades em cena de substituir-se uma fala de outro componente ou mesmo a falta inesperada de uma personagem.

Laboratório – Local onde se fazem experiências científicas ou estudos experimentais. Os laboratórios de dramatização não devem ser feitos dentro do templo, mas numa sala ou outro espaço qualquer que o grupo tenha disponível.

Leitura de gabinete – É o termo empregado às leituras prévias das peças antes dos ensaios com marcações de cena. Também podem ser feitas em local que o grupo julgar conveniente.

Marcação de cena – São etapas ensaiadas já no local onde será apresentada a peça e feitas pelo diretor de cena, a quem caberá dizer por onde entram e saem determinadas personagens, o momento das cenas em estático, a hora apropriada de sentar-se ou levantar, etc.

Microfone – Aparelho que transforma ondas sonoras em correntes elétricas. Nas experiências que costumo fazer com grupos, tenho insistido na necessidade de não ser dado demasiado valor ao microfone. Quase sempre os dispensamos em nossas apresentações. Os desagradáveis ruídos que costumam provocar, bem como os fios que ficam espalhados no chão, dificultam a encenação, ao invés de auxiliar. A personagem fica também tolhida em seus movimentos quando está usando o microfone. Para dispensar o uso desse aparelho, no entanto, é preciso que o grupo tenha uma boa impostação de voz e que tenha sempre em mente a necessidade de ser ouvido até na última fila de cadeiras, onde costumo dizer que devemos imaginar encontrar-se ali um velhinho que gosta muito de assistir dramatizações, mas é um deficiente auditivo.

Mímica – Ato de exprimir-se através dos gestos. Forma teatral largamente utilizada para dizer, na ausência de palavras, as emoções e pensamentos. É uma das partes mais belas do ato de representar.

Monólogo – Cena de qualquer peça em que fale um só; solilóquio.

Narração – Ato ou efeito de narrar uma cena, no sentido de suprimir-se diálogos desnecessários. Quando possível, a narração em nossas peças poderá ser feita por um componente do grupo que não esteja em cena.

Oficina – O mesmo que laboratório.

Palco – Lugar onde se fazem dramatizações. Com a evolução da história do teatro, o palco vem sendo desmistificado e já não se dá tanto valor a "um lugar elevado" onde as pessoas representem. O teatro de arena substitui hoje o lugar do palco.

Peça – Composição dramática ou de comédia.

Personagem – Cada uma das pessoas que figuram numa representação. Para que uma personagem seja bem interpretada é necessário que a pessoa que se dispôs a interpretá-la procure primeiramente despojar-se de si própria.

Pesquisar – O mesmo que investigar. Uma das tarefas importantes na composição de uma personagem é a pesquisa sobre tudo o que possa relacionar-se com a sua história.

Ponto – Pessoa que, na apresentação da peça, vai lendo em voz baixa o que as personagens hão de dizer para lhes auxiliar a memória. Hoje em dia os pontos também quase não são necessários. Os atores preferem memorizar bem o texto, ao invés de confiar no ponto, porque no momento da apresentação é tão grande a tensão nervosa que ele, na verdade, nunca é ouvido.

Postura – Aspecto físico. Uma boa postura em cena poderá ser adquirida através de constantes exercícios de expressão corporal, nas oficinas.

Proscênio **– A parte anterior do palco ou lugar em que se representa.**

Quadro – Subdivisão dos atos de uma peça.

Sotaque – Pronúncia peculiar a um indivíduo de determinada região.

Teatrólogo – Aquele que escreve peças teatrais.

Texto – As próprias palavras de um autor, de um livro, de uma peça, etc.

Vestuário – O conjunto das diversas roupas que se vestem. O cuidado com o vestuário de uma peça não exige necessariamente boas condições financeiras, mas sim muita criatividade.